TITAN **+**

La
Cagoule

Du même auteur chez Québec Amérique Jeunesse

Jeunesse

François Gravel

La Cagoule

QUÉBEC AMÉRIQUE jeunesse

Catalogage avant publication de Bibliothèque et Archives nationales
du Québec et Bibliothèque et Archives Canada

Gravel, François
La cagoule
(Titan ; 81)
Pour les jeunes.
ISBN 978-2-7644-0668-7
I. Titre. II. Collection: Titan jeunesse ; 81.
PS8563.R388C33 2009   jC843'.54   C2008-941988-X
PS9563.R388C33 2009

 Conseil des Arts   Canada Council
du Canada   for the Arts

Nous reconnaissons l'aide financière du gouvernement du Canada
par l'entremise du Programme d'aide au développement de l'industrie
de l'édition (PADIÉ) pour nos activités d'édition.

Gouvernement du Québec – Programme de crédit d'impôt pour
l'édition de livres – Gestion SODEC.

Les Éditions Québec Amérique bénéficient du programme de subvention
globale du Conseil des Arts du Canada. Elles tiennent également à
remercier la SODEC pour son appui financier.

Québec Amérique
329, rue de la Commune Ouest, 3e étage
Montréal (Québec) H2Y 2E1
Téléphone : 514 499-3000, télécopieur : 514 499-3010

Dépôt légal : 1er trimestre 2009
Bibliothèque nationale du Québec
Bibliothèque nationale du Canada

Révision linguistique : Michèle Marineau
Mise en pages : Karine Raymond
Conception graphique : Isabelle Lépine

Imprimé au Canada

À Élise

1
Sac vert

— Comment t'appelles-tu ? demande la juge en me regardant par-dessus ses lunettes en demi-lunes.

C'est une grosse femme blonde, trop maquillée, et qui sent le parfum bon marché. Elle ne ressemble tellement pas à une juge que j'hésite deux secondes avant de répondre à sa question. Le délai est trop long pour l'agent correctionnel qui se tient à mes côtés, semble-t-il, puisqu'il me donne un coup de coude dans les côtes pour me faire réagir. À lui voir l'air, je devine qu'il ne demanderait pas mieux que de me tabasser sérieusement si je lui en donnais l'occasion.

— La madame veut savoir ton nom, le jeune ! Réponds !

Je préférerais me taire, mais je n'ai pas vraiment le choix. Les mains menottées dans le dos, je ne pourrais pas faire grand-chose pour me défendre. Même si j'avais les mains libres, ça ne m'avancerait pas beaucoup : l'agent est deux fois plus large que moi, et peut-être même trois fois à la hauteur des épaules. Sans compter qu'il a appris à se battre, lui. Tout ce que j'ai appris à l'école, moi, c'est à encaisser les coups. Quand on a un physique comme le mien, genre cure-dents ascendant cure-pipes, on a intérêt à courir vite. Et si on n'est pas plus doué pour la course que pour la bagarre, il ne reste plus qu'à savoir penser.

Savoir penser, ça ne veut pas nécessairement dire parler comme une mitrailleuse avec des mots de vingt pieds de long. Même que ce serait plutôt le contraire. D'après mon expérience, ce sont les phrases les plus courtes qui peuvent le mieux arrêter un poing qui se dirige vers votre nez. Ce qui est encore plus fort qu'une phrase courte, c'est souvent pas de phrase du tout : si personne ne vous remarque, vous n'avez aucun problème.

Quand j'allais à l'école, je ne disais jamais rien. Je restais dans mon coin sans bouger, en espérant que tout le monde m'oublie.

Si par malchance le prof me posait une question, je marmonnais quelque chose qui n'avait ni queue ni tête. Le prof se fatiguait vite de ne rien comprendre, alors il me laissait tranquille pour le reste de l'année. J'en profitais pour dormir, surtout quand j'avais travaillé toute la nuit.

Aujourd'hui, cependant, quelque chose me dit que ce ne serait pas la meilleure tactique si je veux éviter d'autres coups de coude dans les côtes.

— Je m'appelle Maxime, Votre Honneur. Maxime Landry.

— Maxime Landry, répète-t-elle machinalement tout en plongeant le nez dans l'épais dossier qui se trouve sur son bureau. Maxime Landry… Tu as été arrêté une première fois pour avoir transporté cinq kilos de cannabis dans ton sac à dos, mais tu étais trop jeune pour qu'on puisse faire quoi que ce soit contre toi. La deuxième fois, tu avais six kilos de hasch et cinq cents grammes de cocaïne. Comprends-tu la gravité de ce que tu as fait, Maxime ?

— Oui, madame. Je veux dire : oui, Votre Honneur.

— Quel âge as-tu ?

— Seize ans.

— Vraiment ? Je t'en aurais donné à peine treize… Tu commences ta vie d'un bien mauvais pied, Maxime. Si tu n'avais pas été mineur, on t'aurait enfermé pour six ou sept ans, et je n'ose même pas penser à ce tu aurais dû subir si tu avais été arrêté aux États-Unis. Avec un dossier comme celui-là, on t'aurait enfermé dans un pénitencier pour adultes, et laisse-moi te dire que ça ne ressemble pas à un camp de vacances. Sais-tu ce qui se serait produit si on t'avait arrêté une troisième fois, Maxime ?

— Je ne sais pas, Votre Honneur.

— *Three strikes, you're out.* Tu aurais eu droit à la prison à vie, sans possibilité de libération conditionnelle. Tu as vraiment de la chance d'être un citoyen canadien, Maxime. *Beaucoup* de chance… Quoi qu'il en soit, tu as maintenant payé ta dette envers la société, comme on dit. J'espère que ton séjour au centre de détention t'a fait réfléchir un peu.

— Je n'ai pas l'intention de recommencer, Votre Honneur.

— Tant mieux. J'ai une proposition à te faire, Maxime. À partir de maintenant, tu as le choix de retourner vivre chez ta mère…

— Je ne veux pas.

— Laisse-moi finir, Maxime. Je disais donc que tu peux retourner vivre chez ta mère, ou alors participer à une expérience de réhabilitation qui risque d'être éprouvante.

— J'accepte.

— … Tu ne veux même pas savoir de quoi il s'agit ?

— Je suis sûr que ce sera moins pire que chez ma mère.

— Laisse-moi quand même t'expliquer un peu de quoi il retourne. Tu ne pourras pas dire qu'on ne t'a pas prévenu. Ton dossier est lourd, Maxime, et nous craignons que tu ne retombes dans les mêmes ornières si tu retournes dans ton environnement habituel. Je te propose donc de participer à une recherche en psychologie comportementale. Certains théoriciens de la rééducation soutiennent qu'en modifiant les paramètres environnementaux susceptibles d'induire des attitudes délinquantes on réussit à déstabiliser les fondements psychiques du désir même de délinquance, ce qui permet ensuite de restructurer la personnalité déficiente en rétablissant de nouveaux équilibres émotionnels.

Je ne comprends rien à ce qu'elle me raconte, mais je m'en fous comme de l'an quarante. Ce qui m'intéresse bien plus que

13

son bla-bla de psychologue, c'est ce qu'elle me dit par la suite : si je comprends bien, je passerai le reste de l'été dans une sorte de camp, à la campagne, en compagnie de jeunes en difficulté qui veulent retrouver le droit chemin. Le mot-clé, pour moi, c'est *campagne*. Dans mon esprit, c'est un synonyme de *loin de chez ma mère*. Ça me suffit pour prendre ma décision.

— … Tu as bien compris, Maxime ?

J'en ai manqué de grands bouts, mais je fais quand même oui de la tête. Je me doute que ce camp ne ressemblera pas à un Club Med, mais ce sera certainement dix fois, cent fois, mille fois mieux qu'à la maison.

— C'est bien. Espérons que tu sauras profiter de la chance qu'on t'offre.

Elle ferme mon dossier, puis elle s'adresse à l'agent qui m'escorte :

— Enlevez-lui ses menottes et emmenez-le au camp. Voici les instructions pour vous y rendre.

L'agent va chercher la feuille de papier que lui tend la juge, puis il revient couper mes menottes d'un coup de ciseaux.

Quand on m'a conduit du centre de détention au tribunal pour jeunes, on m'a lié les mains dans le dos avec une simple attache en plastique. Il paraît que ça coûte moins cher que les bonnes vieilles menottes en métal, et que c'est tout aussi solide. C'est sans doute vrai. C'est aussi très humiliant : je regarde ce petit bout de plastique de rien du tout qui suffisait pourtant à m'immobiliser, et je me sens aussi important qu'un sac vert abandonné sur le trottoir.

— Tu connais le chemin, dit l'agent après avoir jeté l'attache dans une poubelle. Avance, et n'essaie pas de te sauver, je suis juste derrière toi.

Pourquoi est-ce que je me sauverais ? Je n'ai aucun intérêt à me retrouver à la rue, sans un sou en poche. Je me ferais rattraper par la police un jour ou l'autre, on me ramènerait dans un centre de détention et on m'obligerait ensuite à retourner chez ma mère… Pas question !

Je me dirige docilement vers l'ascenseur, suivi de près par l'agent, et nous descendons jusqu'au garage, où nous attend la fourgonnette dans laquelle il m'a amené ici. Je m'assois sur la banquette arrière et je me retrouve une fois de plus enfermé dans une cage : les portières sont verrouillées à double tour, et une grille me sépare du conducteur.

Je ne me sens plus comme un sac vert, mais plutôt comme un chien perdu ramassé par la SPCA.

Espérons seulement que ce que la juge a appelé un *camp* ne soit pas un autre nom pour la chambre à gaz…

2
Chien perdu

Enfermé dans ma cage grillagée, je passe sous un autre genre de cage, une cage immense faite de poutrelles d'acier : nous roulons sur le grand pont métallique que j'ai toujours vu par la fenêtre de ma chambre, mais que je n'avais encore jamais emprunté. C'est la première fois de ma vie que je quitte la ville, et j'ouvre grand les yeux. Si je le pouvais, je ferais comme les chiens et je sortirais la tête par la fenêtre pour profiter du vent.

Quand j'étais petit, j'imaginais que ce pont était une rampe de lancement qui projetait les automobiles dans un paradis de verdure. Je croyais qu'il y avait tout plein de belles maisons de l'autre côté, des manoirs de riches comme on en voit dans les films américains, avec un panier de basket dans chaque entrée de garage, une piscine dans chaque cour, des arbres immenses dans lesquels on peut se construire des cabanes, et des vendeurs de crème glacée à chaque coin de rue.

Ma mère ne m'a jamais emmené nulle part. C'est tout juste si elle tolérait que j'aille à l'école qui était au coin de la rue. Elle avait hâte que j'aie seize ans, pour que je ne sois plus obligé d'y aller. Elle disait que c'était une perte de temps, que les professeurs n'étaient que des frustrés juste bons pour lire des livres mais qui ne savaient rien de la vraie vie.

Quand l'école organisait des classes vertes ou des journées de ski, elle disait toujours que ça coûtait trop cher ou que c'était trop dangereux. Elle préférait que je reste à la maison pour faire ses commissions.

Le seul point sur lequel je m'entendais avec ma mère, c'était l'école. J'y allais parce que j'étais obligé, mais je m'en serais bien passé. Je travaillais souvent tard dans la nuit, alors je dormais sur mon pupitre, et les profs m'envoyaient réfléchir à la bibliothèque. Quand j'arrivais en retard parce que ma mère avait oublié de me réveiller, ou quand j'avais oublié mes shorts et que je ne pouvais pas aller au cours d'éducation physique, c'était pareil : va réfléchir à la bibliothèque, Max. Pour eux, c'était une punition.

C'est comme ça que j'ai appris à aimer les livres. Je prenais n'importe quoi, des trucs sur les automobiles, les vampires, les records, n'importe quoi, et j'apprenais plein de mots sans même m'en apercevoir. J'ai une super mémoire pour les mots et l'orthographe. Je suis fait comme ça, c'est tout. Je vois un mot une fois, et il va tout de suite se ranger dans mon disque dur. À l'école, ça me causait souvent des problèmes. Quand les professeurs faisaient des fautes au tableau, je les détectais tout de suite. Au début, je levais parfois la main pour le dire, mais ils n'aimaient pas ça du tout. Ils me disaient que j'étais impoli… et ils me renvoyaient à la bibliothèque pour réfléchir.

Alors, j'y retournais, je lisais des revues ou des romans et j'apprenais encore plein de mots nouveaux sans m'en apercevoir. C'était tant mieux pour moi parce que c'est quand même commode de savoir des mots. Ça peut toujours servir quand on ne peut ni se battre ni courir vite. Mais plus j'en apprenais, plus je devais me retenir quand les professeurs faisaient des fautes au tableau. Tout ça pour dire que j'ai appris beaucoup de mots à l'école, mais que ce n'était pas grâce aux professeurs.

C'est aussi comme ça que j'ai appris qu'il vaut mieux se taire le plus souvent possible. S'il est vrai que le silence est d'or, je deviendrai sûrement très riche un de ces jours.

Pour le moment, je suis encore enfermé dans une fourgonnette, et l'agent ne m'a pas adressé la parole depuis notre départ. Il est plein de haine, ça se sent. Quand il m'a conduit au tribunal, il m'a dit que sa petite sœur était morte d'une overdose et qu'il détestait les *pushers*. S'il n'en tenait qu'à lui, il rétablirait la peine de mort juste pour eux. Les trafiquants seraient pendus sur la place publique, et pas nécessairement par le cou. Je n'ai pas essayé de me justifier, ça l'aurait rendu encore plus violent.

Il écoute à la radio une de ces émissions débiles où des gens plus ou moins débiles téléphonent à un animateur vraiment débile pour dire que l'auditeur qui a téléphoné juste avant était un vrai débile, mais pas autant que le précédent, qui était encore plus débile, et on passe maintenant à un autre appel. S'ils étaient allés à la même école que moi, ces auditeurs auraient appris à se taire, eux aussi, et ça n'aurait pas été une grosse perte pour l'humanité.

Plutôt que de les écouter, je préfère regarder dehors pour passer le temps.

Juste après le pont, il y avait plein de belles maisons comme je me l'étais imaginé, avec des pignons et des tourelles, des paniers de basket dans chaque entrée et des piscines dans chaque cour. Mais maintenant, il n'y a plus que des champs. La campagne, c'est plus ou moins la même chose que la ville, si je comprends bien, sauf qu'il y a de grands espaces vides entre les maisons. C'est moins beau que je ne l'aurais cru.

Une heure plus tard, cependant, le paysage change complètement, et il n'y a presque plus de maisons. Nous empruntons une petite route qui traverse une forêt, et je ne vois plus autour de moi que des arbres, des arbres et encore des arbres.

Je regarde attentivement, au cas où j'apercevrais un chevreuil ou un ours, mais je n'en vois pas. Peut-être qu'ils sont comme moi : ils travaillent la nuit et ils dorment pendant le jour.

J'aperçois parfois des lacs avec des maisons tout autour. Pour moi, ça ressemble au paradis : les gens qui habitent là peuvent sortir de leur maison en maillot de bain pour se baigner en face de chez eux, se promener en canot, pêcher des poissons pour souper, faire des feux de camp le soir… Si je deviens riche un jour, c'est dans un endroit comme ça que j'habiterai.

Ensuite, il y a encore des arbres et des arbres et toujours des arbres, et je commence à cogner des clous, surtout que l'agent écoute maintenant de la musique de vieux avec des chanteuses sucrées accompagnées de violons. Ça m'endort pour de bon.

Je ne sais pas combien de temps j'ai dormi, mais, quand je me réveille, nous sommes dans un village qui a l'air désert : je vois un garage fermé, un restaurant placardé et des maisons de bois toutes blanches avec de grands arbres devant, mais la plupart semblent abandonnées et de nombreuses pancartes À *vendre* sont plantées dans les pelouses. Peut-être que la seule usine du coin a fermé et qu'il n'y a plus de travail, ou quelque chose dans ce genre-là.

Après le village, nous traversons de nouveau une forêt. Un panneau indique que l'agent pourrait maintenant accélérer, mais, au contraire, il ralentit. J'ai l'impression qu'il essaie de trouver une autre route.

Je ne peux pas l'aider, puisque je ne sais pas vraiment ce qu'il cherche, mais j'examine en même temps que lui les panonceaux signalant des chemins de terre battue : lac Ceci, lac Cela, Normand et Mireille, Gérald et Jeannette, chalet à vendre, chalet à louer, terrain à vendre au bord de l'eau...

Un immense panneau vert indique que nous approchons de la frontière américaine. Je n'en reviens pas : les États-Unis sont là, si près que je pourrais y aller à pied ! New York, Chicago, San Francisco, le Grand Canyon, Las Vegas, la Louisiane, le Texas... Il suffirait de traverser une ligne imaginaire, et j'y serais !

Il semble cependant que ce ne soit pas notre destination, puisque l'agent fait demi-tour après avoir poussé quelques jurons. Il roule encore plus lentement et trouve enfin le chemin qu'il cherchait.

Nous nous engageons dans une petite route de terre bien garnie en trous, en bosses et en flaques de boue. Ça ballotte, ça tangue, ça grince, c'est plein de branches qui égratignent les portières. L'agent n'en finit plus de blasphémer, mais il continue quand même à avancer, de plus en plus lentement.

Nous nous faisons secouer ainsi pendant une bonne demi-heure avant d'arriver à destination.

Je dois me frotter les yeux pour m'assurer que je ne rêve pas : au bout de ce petit chemin s'élève un imposant édifice de deux étages en pierre et en brique qui ressemble comme deux gouttes d'eau à la vieille école primaire qui se trouve au coin de ma rue.

Au-dessus de la porte principale, des chiffres gravés dans une pierre indiquent l'année de la construction : 1923. Qui donc a eu l'idée, il y a presque un siècle, de construire une école comme celle-là dans une forêt ?

La porte s'ouvre, et je vois apparaître un drôle de bonhomme. Il n'a qu'une couronne de cheveux grisâtres autour de la tête et il les porte très longs, comme s'il voulait ressembler à un savant fou. Le problème, c'est qu'il n'a pas l'air savant du tout avec son chandail jaune et noir des Bruins de Boston. Avec ses jambes arquées et sa grosse bedaine, il n'a pas l'air non plus d'un joueur de hockey, ou alors il a cessé de s'entraîner depuis longtemps.

Je l'observe tandis qu'il s'avance vers nous, et je m'aperçois que quelque chose d'autre cloche dans son accoutrement. Je ne suis pas un grand amateur de hockey, mais j'ai une excellente mémoire visuelle, et je sais très bien que c'est un gros B que l'on

24

voit habituellement sur le chandail des Bruins de Boston. Pourquoi cet homme l'a-t-il remplacé par une croix gammée ?

L'agent sort de la fourgonnette et va discuter avec lui, mais je n'entends rien de ce qu'ils disent. Les deux hommes échangent des papiers, et l'agent revient enfin me libérer.

Il part ensuite sans me saluer, et je reste face à face avec un partisan des Nazis de Boston qui m'accueille dans une école perdue au milieu de nulle part. Dans quel monde de fous ai-je abouti ?

3
Suivez le guide

— Bienvenue chez nous, dit le Nazi en me serrant la main. As-tu fait bon voyage ? Vous êtes-vous arrêtés pour manger en chemin ? Non ? Tu dois avoir faim. Es-tu capable d'attendre encore une heure ou deux ? Les autres sont partis en excursion pour le moment, mais ils ne tarderont pas à rentrer. Je te ferai préparer un sandwich que tu pourras manger autour du feu, quand ils seront arrivés. Tu n'as pas de valise ? Rien du tout, même pas une brosse à dents ? Moi qui pensais que les pushers étaient tous millionnaires ! Ha ha ha ! On va te trouver des vêtements, ne t'inquiète pas. La guenille, ce n'est pas ça qui manque par ici ! Ha ha ha ! Et puis, maigre comme tu es, ça ne coûtera pas trop cher de tissu! Ha ha ha! On va te fabriquer un sac à dos sur mesure, sinon tu risques de tomber par en arrière! Ha ha ha! Est-ce que tu comprends ce que je te dis?

Je me contente de hocher la tête.

— Tu n'es pas du genre bavard, à ce que je vois. C'est parfait! Tu vas t'habituer plus vite à nos règlements! Ha ha ha! Bon, suis-moi, je te fais visiter les lieux.

C'est le genre de bonhomme qui rit de ses propres blagues. J'ai connu beaucoup de professeurs comme ça, au secondaire. Ils n'ont pas tellement le choix: s'ils attendent après les élèves, ils risquent d'attendre long-temps.

— Belle école, non? continue le Nazi en se dirigeant vers la porte d'entrée. Elle a été construite en 1923, comme tu peux le voir sur cette pierre, là, au-dessus de la porte. La vois-tu? Ce n'est pas aussi gros qu'une affi-che de Wal-Mart, mais presque! Ha ha ha! Elle est juste là, regarde! Bienvenue chez Wal-Mart!

En plus de rire de ses propres blagues, mon guide n'aborde jamais les sujets qui m'intéressent, mais il m'explique trois fois de suite ce que j'ai saisi du premier coup. Je n'ai plus le moindre doute : le Nazi a été professeur dans une vie antérieure.

— L'école a été construite par une communauté religieuse, poursuit-il. Les frères Machin Quelque Chose du Sacré-Cœur du Saint Nom de Jésus Marie Joseph d'enfant de crèche du Saint Chrême… Ha ha ha ! C'était un orphelinat pour les Amérindiens. Autrefois, il y avait des champs tout autour, mais les arbres ont poussé, depuis ce temps-là. On voulait montrer aux Amérindiens les rudiments des travaux de la ferme. Ça ne marchait pas très fort, à ce qu'il paraît. Quand ils sortaient d'ici, les petits Sauvages étaient mûrs pour la prison ou pour l'hôpital psychiatrique ! Ha ha ha ! Le bâtiment a ensuite servi d'école de réforme, comme on disait dans le temps. Un centre de détention pour les jeunes, si tu veux… Quand les religieux ont tous défroqué en même temps, dans les années soixante, le gouvernement a acheté la bâtisse pour une bouchée de pain. Quelqu'un a eu l'idée d'en faire une école expérimentale pour les décrocheurs, mais le projet a foiré : ça coûtait trop cher à entretenir. Le ministère de la Défense l'a ensuite utilisée pour faire des expériences dans les années quatre-vingt, et c'est tout. C'est un vrai miracle que l'édifice soit encore debout : il a résisté à cinquante ans d'occupation par les fonctionnaires de deux ministères différents ! Tout un exploit ! Ha ha ha !

Je ne vois vraiment pas ce qu'il y a de drôle dans ce qu'il me raconte, mais j'essaie de l'écouter le mieux possible pour enregistrer un maximum d'informations.

Nous entrons dans l'école. L'édifice a beau être délabré, il est tout de même impressionnant. Les plafonds sont hauts, quelques portes sont ornées de vitraux, et les vieux planchers de bois craquent sous nos pas. On se croirait dans une église abandonnée après avoir été saccagée : certains vitraux ont été barbouillés de peinture, des fenêtres brisées ont été recouvertes de simples morceaux de carton, et des statues ont été décapitées.

Nous empruntons maintenant un long corridor dont les murs sont décorés de vieilles photos exposées dans des cadres de bois. Plusieurs des vitres sont brisées ou affreusement sales, mais je peux tout de même distinguer des prêtres très sérieux et de jeunes Amérindiens à l'air malheureux. Si j'avais été un de ces Amérindiens, je me serais sauvé en courant : ça ne devait pas être facile pour des prêtres en soutane de leur courir après, surtout dans la forêt.

Mon guide s'arrête devant une porte qui se trouve presque à l'extrémité du corridor.

— Voici ta chambre, dit-il en ouvrant la porte. C'est un peu spartiate, mais c'est quand même mieux que de coucher sous la tente, crois-moi. Ici, au moins, le toit ne coule pas… Il faut croire que les fonctionnaires ne sont pas restés assez longtemps pour tout démolir! Ha ha ha! Les Amérindiens qui vivaient ici dormaient dans des dortoirs, mais les frères, eux, avaient des cellules individuelles. Comme les deux dortoirs sont remplis, nous t'offrons gracieusement une de ces cellules. J'aime mieux t'avertir, les sommiers grincent! Si tu fais de la gymnastique pendant la nuit, tout le monde va le savoir! Ha ha ha! N'oublie surtout pas de regarder dans le dernier tiroir de la commode: il y a un cadeau pour toi. Et ce n'est pas une Bible, n'aie pas peur! Ha ha ha! Ça aurait pu être utile, remarque: on manque parfois de papier à rouler! Ha ha ha!

Je ne comprends toujours pas grand-chose à ses blagues, mais je sais que cette cellule est parfaite pour moi: le lit n'est pas un simple matelas posé par terre, comme chez ma mère, mais un vrai lit, avec de vraies couvertures. Il y a aussi une chaise, une table de travail et même un dictionnaire! Quand j'étais petit, j'en demandais un à ma mère chaque année, pour Noël, mais elle n'a jamais voulu m'en offrir. Elle me donnait à la place des DVD de *Star Wars* que je me dépêchais d'abîmer un peu, sinon ma mère aurait essayé de les revendre pour se payer du vin ou de la coke. Avant même d'avoir dix ans, j'avais compris qu'on risquait moins d'être déçu quand on ne demandait rien.

Il y a une fenêtre au-dessus de la table. Elle est recouverte d'un épais grillage, mais c'est quand même une vraie fenêtre, par laquelle on peut voir des arbres.

— Il y a des toilettes et une douche juste en face, poursuit le Nazi. Tu devrais trouver une serviette dans la commode. Bon, je te laisse t'installer. Les autres ne tarderont pas à rentrer. J'enverrai quelqu'un te chercher pour le feu de camp. D'ici là, tiens-toi tranquille.

Il me quitte en refermant la porte derrière lui, mais je n'entends pas de cliquetis de serrure. En tendant l'oreille, je distingue le bruit de ses pas sur les planches qui craquent. J'attends encore une minute, puis je tourne la poignée. La porte est lourde, mais elle s'ouvre sans difficulté. Je ne suis donc pas enfermé. C'est bon à savoir.

Je jette un œil dans le corridor, mais je ne vois que des portes, toutes fermées. Comme elles sont semblables à la mienne, j'en déduis que ce sont d'autres chambres. Je traverse le corridor sur la pointe des pieds – ce qui n'empêche pas les planches de craquer à qui mieux mieux – et j'ouvre la porte qui se trouve en face. Il y a bel et bien des toilettes et une douche. Les appareils sont vieux et pas très propres, mais ils fonctionnent. Il y a même de l'eau chaude. Pour moi, c'est du luxe : chez ma mère, il y avait longtemps que le chauffe-eau ne fonctionnait plus.

Je me lave longuement les mains tout en essayant de comprendre ce qui m'arrive. Même s'il parle tout seul, mon guide n'est certainement pas un professeur. Ce n'est pas non plus un religieux ni un fonctionnaire. Je ne suis ni dans une école, ni dans un camp scout, ni dans une secte religieuse, ni dans l'armée – j'imagine mal un soldat canadien avec un insigne nazi sur la bedaine… Mais alors où suis-je ?

Mon guide n'a peut-être rien à voir avec les nazis. Peut-être qu'il a revêtu ce chandail pour faire une blague. Ou pour jouer dans une pièce de théâtre. Ou pour faire un jeu de rôle, comme les psychologues du centre de détention… Autrement dit, tout ce que je sais pour le moment, c'est que je ne sais à peu près rien.

Je reviens dans ma chambre, je ferme la porte derrière moi et j'examine les lieux. Je commence par m'asseoir sur le lit : le matelas est dur et le sommier grince abominablement, mais ça devrait aller. Je jette ensuite un coup d'œil au dictionnaire. C'est un *Larousse* qui sent le moisi et dont les illustrations sont en noir et blanc. Je regarde la date de publication : 1951. Certaines pages se détachent, mais il semble complet. Je regarde le mot *spartiate*, que mon guide a utilisé sans me l'expliquer : ça veut dire « sévère et sobre ».

C'est vrai que c'est plutôt sobre : les murs blancs n'ont pas été repeints depuis cinquante ans, mais ils semblent quand même solides, sans fissures. On voit encore la trace laissée par un crucifix, au-dessus du lit.

J'ouvre le premier tiroir de la commode : une serviette, une débarbouillette, du savon, du shampoing. Je pourrai donc prendre une vraie douche, comme au centre de détention. Ça aussi, c'est dix fois mieux que chez ma mère !

Le deuxième tiroir est vide.

J'ouvre lentement le troisième tiroir, curieux de voir ce que sera le cadeau dont m'a parlé le Nazi, mais il est vide lui aussi.

Si mon guide a voulu me faire une blague, elle est encore plus stupide que les autres. Pourquoi m'a-t-il parlé d'un cadeau s'il n'y a rien ? Qu'est-ce qu'il a dit à propos de ce cadeau, déjà ? Que ce n'était pas une Bible, mais qu'une Bible aurait été commode au cas où on manquerait de papier… Y aurait-il une feuille de papier que je n'aurais pas aperçue ? Je tire d'un coup sec sur le tiroir pour l'ouvrir un peu plus, et je vois une cigarette rouler vers moi. Elle était sans doute coincée tout au fond, et la secousse l'a libérée.

Je connais bien ce genre de cigarette roulée à la main et effilée aux deux extrémités. Je déroule délicatement une de ces extrémités pour voir ce qu'elle contient. Ce n'est pas du tabac, évidemment, et encore moins du persil. Des feuilles de mari, parmi lesquelles je distingue de petits morceaux d'une matière brune, odorante comme de l'encens. Un joint de mari, épicé de morceaux de hasch.

Mes derniers doutes viennent de se dissiper : je ne suis pas dans un camp scout, et le programme de cette école n'est sûrement pas supervisé par le ministère de l'Éducation ni par l'armée. Qu'est-ce que c'est que ce camp dans lequel on fournit de la drogue aux délinquants ?

J'en suis là dans mes réflexions quand on cogne à ma porte. Je referme vite le tiroir, tout en sentant de la sueur me couler dans le dos : et si c'était un piège ? Imaginons que des policiers fouillent ma chambre… *Three strikes, you're out*… Qu'est-ce que je dois faire avec le joint ? Le cacher sous le matelas ? Ce n'est pas une bonne idée, non. Le mettre dans ma poche ? Ce serait encore pire. Le lancer par la fenêtre ? Quelqu'un va le trouver de l'autre côté, et on saura tout de suite d'où il vient…

On frappe encore. Trois petits coups, très faibles. Des policiers ne seraient sûrement pas aussi discrets. Ceux qui venaient régulièrement chez ma mère étaient plutôt du genre à défoncer les portes… Je décide de mettre la cigarette dans ma poche, même si c'est la pire des solutions. J'essaierai de m'en débarrasser à la première occasion.

J'ouvre la porte.

Un garçon se tient devant moi. Il doit avoir seize ou dix-sept ans. Des anneaux dans le nez, les oreilles, les lèvres, les joues. Coupe mohawk. Un collier clouté autour du cou. Je le dépasse d'une bonne tête, mais il est tellement large qu'il est quasiment carré. Ce gars-là devrait jouer au football : on lui donnerait le ballon, et il foncerait droit devant lui. Il faucherait tous ses adversaires, comme une boule de quilles.

— Salut, dit-il.

— Salut.

— Crois-tu à ça, toi, les requins ?

— … Les requins ???

— Les requins, oui. En as-tu déjà vu ? Pour vrai, je veux dire… Des vrais requins, avec des trous carrés sur les côtés de la tête ?

— J'en ai vu à la télévision, et dans des livres…

— Tout le monde dit la même chose ! Tic tic ! Tout le monde a vu des requins à la télévision, mais personne n'en a vu pour vrai ! Tic tic ! Moi, je n'y crois pas : un poisson avec des trous carrés sur le côté et deux mille dents tranchantes comme des lames de rasoir, ça se peut même pas. C'est juste à la télévision. Télévision. Tévéli… *Shit* ! Maintenant, suis-moi. C'est l'heure du feu.

J'hésite à lui obéir : le Nazi m'a dit de rester là et de me tenir tranquille. Pourquoi est-ce que je suivrais ce petit Mohawk carré qui ne croit pas aux requins et qui semble prendre un choc toutes les trente secondes ? Je connais des gens qui ont des tics nerveux, mais c'est la première fois que je vois quelqu'un qui nous en avertit à l'avance : chaque fois qu'il dit *tic tic*, il est ensuite agité d'un spasme qui lui déforme le visage.

Le Mohawk fait quelques pas dans le corridor, puis il s'arrête.

— Suis-moi, répète-t-il. Tout le monde doit se présenter au feu de camp. C'est la règle. Tic tic, tic… Tu es nouveau ? Tic tic…

Ce coup-là, il a tellement de spasmes que j'ai peur qu'il reste coincé, mais il finit par secouer la tête, ce qui semble lui replacer les neurones. C'est un peu difficile d'avoir une conversation normale avec un gars comme ça : il est tellement crispé qu'on se demande s'il peut nous entendre. S'il réussit à se boucher les oreilles aussi fort qu'il se ferme les yeux, il n'y a rien qui peut entrer dans cette tête-là.

— Je viens d'arriver, oui. Je ne connais pas les règlements.

— Ça paraît… Écoute-moi bien : tu me suis sans rien dire, OK ? N'essaie pas de comprendre. Et si je peux te donner un conseil, ne parle à personne sauf si tu y es vraiment obligé. Si quelqu'un prétend qu'il est ton ami, méfie-toi : ici, il n'y a pas d'amis. Tout ce que tu fais, tout ce que tu dis peut se retourner contre toi, compris ?

Ce coup-ci, il a parlé tout à fait normalement, sans le moindre tic.

— Compris.

— Et si quelqu'un te parle de requins, ne l'écoute pas. Les requins, ça n'existe pas. C'est des malades qui ont inventé ça. Tic tic. Des malades dans la tête. Tic tic. Des manchots du cerveau.

Je ne suis pas psychologue, mais je crois comprendre quel est son problème. J'ai côtoyé quelques paranoïaques au centre de détention. Des gars qui voyaient des ennemis partout, qui s'imaginaient que le monde entier complotait contre eux. J'en ai même connu qui croyaient dur comme fer qu'il y avait des caméras cachées dans les téléviseurs, que les satellites américains les prenaient en photo quand ils se masturbaient sous leurs couvertures et que la CIA revendait ces images par Internet. Mais celui-là, c'est vraiment le plus bizarre de tous : je comprends qu'on puisse ne pas croire en Dieu, ou au père Noël, ou aux extraterrestres, mais *ne pas croire aux requins* !

Je décide quand même de le suivre, tout en restant sur mes gardes.

— Sais-tu ce qu'ils disent sur les requins, dans les livres ? Ils disent qu'ils peuvent nager à trente-quatre kilomètres à l'heure !

Trente-quatre! Pourquoi pas douze, tant qu'à faire? Tic tic. Pourquoi pas treize, ou deux millions? Et pourquoi est-ce qu'ils ne pourraient pas voler, un coup parti? Je vais te le dire, moi: s'ils volaient, on les verrait, mais on ne *peut pas* les voir pour la bonne raison qu'ils n'existent pas. Tu n'es pas obligé de croire tout ce que je te dis, la plupart du temps c'est des niaiseries, mais je sais ce que je fais, *man*, je sais ce que je fais. Ne crois personne sur parole, *man*, personne. La Lune non plus, ça n'existe pas. Tic tic. Regarde-la comme il faut, ce soir: c'est juste une projection, tic tic... Juste une projection, et ils ne sont même pas foutus de la faire en trois dimensions! Les Américains sont nuls. Ils auraient dû confier ça aux Japonais.

Est-ce que je me trompe, ou bien est-ce que ce gars-là essaie de m'envoyer de vrais messages, à travers ses divagations?

4
Feu de camp

Le soir est presque tombé quand nous sortons de l'école. La porte située à l'arrière du bâtiment donne sur une grande cour de terre battue, entourée d'une forêt qui me semble impénétrable. Au centre du terrain se trouvent de grosses pierres noires disposées en rond, elles-mêmes entourées d'un deuxième cercle de grosses pierres.

— Aide-moi à préparer le, tic tic, feu de camp, me dit le Mohawk. Les autres ne devraient pas tarder à arriver.

— Je ne sais pas comment faire. C'est la première fois que…

— Je ne t'ai pas demandé de me raconter ta vie, répond-il en levant les yeux au ciel. Tout le monde a la même vie, demande aux psys, tic tic… Fais juste m'aider sans poser de questions. Moins tu en dis, mieux c'est, *man*. Si tu tiens à ta peau, ne fais pas comme moi: ferme ta gueule. Va chercher les bûches qui sont là-bas, au bout du terrain, je m'occupe du reste.

Ça va, j'ai compris. Quand on veut que je me taise, on n'a pas besoin de me le répéter.

Je vais donc chercher les bûches, ce qui exige plusieurs voyages. Chaque fois que je reviens vers le Mohawk, j'observe comment il s'y prend: il froisse d'abord quelques boulettes de papier et les dépose au centre des pierres, il ajoute des brindilles et des feuilles mortes, ensuite des branches plus grosses, et enfin les bûches, qu'il dispose en pyramide.

La nuit est tombée quand nous terminons notre tâche. Le Mohawk sort alors un carton d'allumettes de sa poche et il allume le feu. Peut-être que ce gars-là est un véritable Amérindien, finalement: une seule allumette a suffi. Tout ce que j'ai jamais allumé avec une allumette, moi, ce sont les joints que ma mère fumait avec ses amis, quand j'avais quatre ou cinq ans. Je n'étais pas très habile et je me brûlais les doigts une fois sur deux. Elle trouvait ça très drôle.

Le Mohawk va ensuite s'asseoir sur une des grosses pierres qui forment le deuxième cercle et il regarde les flammes sans rien dire.

J'ai déjà vu des feux de camp à la télévision, comme tout le monde, mais c'est la première fois que j'en *vois* un pour vrai, que je l'*entends* et que je le *sens* : je n'aurais jamais cru que ça pouvait crépiter à ce point-là, et dégager d'aussi bonnes senteurs. Je n'aurais jamais pensé non plus que je serais à ce point hypnotisé par les flammes : je ne me lasse pas de les regarder se frayer un chemin parmi les bûches, comme des serpents de lumière qui montent vers le ciel.

Je jette parfois un regard en coin vers le Mohawk, qui semble tout aussi fasciné que moi. Il contemple le feu pendant quelques instants, puis il sort une cigarette de sa poche. Une cigarette sans filtre, avec les deux bouts effilés, qu'il allume en utilisant une brindille qu'il a retirée du feu. Il en aspire une bouffée si grosse qu'elle lui fait gonfler les joues, il la retient le plus longtemps possible, puis il l'exhale d'un seul coup. Il en prend une deuxième bouffée, qu'il garde tout aussi longtemps avant de l'expulser. Peut-être que je me trompe, mais j'ai l'impression qu'il n'aspire pas vraiment la fumée, qu'il se contente de la garder le plus longtemps possible dans sa bouche. Soudain, j'entends des bruits derrière moi. En me retournant, j'aperçois des gars qui sortent de l'école et qui s'en viennent vers nous en marchant comme des zombies. Ils arrivent par petits groupes de trois ou quatre et s'assoient autour du feu sans dire un mot.

Quand toutes les pierres du deuxième cercle sont occupées, je compte une cinquantaine de garçons, qui semblent avoir le même âge que moi et qui sont tous plus inquiétants les uns que les autres : il y a des punks, des gothiques, des skins, des tatoués, des vampires, des bizarroïdes inclassables…

Celui qui se trouve à ma gauche a les bras couverts de tatouages représentant des serpents, des chaînes, des aigles et des femmes nues. Ou bien le tatoueur en était à ses premières armes, ou bien il était nul en dessin, ou bien il était gelé comme une balle, ou peut-être tout ça en même temps : les aigles sont mal proportionnés, les femmes nues sont difformes et les couleurs sont hideuses. À mon avis, il aurait dû se limiter aux chaînes et aux barbelés.

Mon voisin de droite a aussi des tatouages, mais uniquement sur le front, et ils sont beaucoup mieux réussis. Ils représentent deux revolvers pointés l'un vers l'autre. Si jamais ce gars-là fait un vol à main armée, il a intérêt à porter un masque. Avec une signature comme celle-là dans le visage, les policiers n'auraient pas besoin de se creuser la tête bien longtemps pour diffuser son signalement.

Aussitôt assis, le tatoué aux deux revolvers sort un joint de sa poche et commence à le fumer avec avidité. Les autres en font bientôt autant. Punks, gothiques, skins, tout le monde semble avoir un joint dans la poche. Je suis maintenant moins inquiet d'en avoir un dans la mienne : si jamais je me fais arrêter, je ne serai pas le seul !

Je pourrais évidemment les imiter, mais je n'ai jamais fumé quoi que ce soit de toute ma vie, du moins volontairement, et ce n'est pas aujourd'hui que je vais commencer. Pour ne pas me faire remarquer, je fais semblant d'être gelé. Je suis très bon dans ce rôle. Quand ma mère recevait ses amis, ils commençaient toujours par fumer un joint ou deux avant de passer aux *choses sérieuses*, comme ils disaient. Ils voulaient toujours que j'en prenne une bouffée avec eux. Le seul moyen pour qu'ils me fichent la paix, c'était d'avoir l'air déjà gelé.

Des gars se lèvent parfois pour enflammer des brindilles dans le feu. Je profite d'un moment où il y a beaucoup de va-et-vient pour jeter mon joint dans les flammes, ni vu ni connu. Les braises sont si chaudes qu'il se consume en deux secondes.

Chaque fois que j'en ai l'occasion, je regarde discrètement au-delà du cercle des jeunes, où se trouve un groupe de quatre hommes qui boivent de la bière en parlant entre eux à voix basse. Mon Nazi est parmi eux, et les trois autres semblent beaucoup plus costauds : ils ont des biceps gros comme des jambons, mis en évidence par des tee-shirts très moulants. Le Nazi arbore encore son chandail à croix gammée, mais les autres n'ont aucun symbole de ce genre.

Qui sont ces adultes ? Des gardiens responsables de notre groupe ? Si oui, comment peuvent-ils tolérer que tout le monde se défonce sous leurs yeux ? La juge qui m'a envoyé ici savait-elle vraiment ce qu'elle faisait ?

Je remarque vite que, parmi les jeunes, personne ne parle, personne ne rit. Les gars fument en regardant le feu, ils tombent endormis quand ils sont trop gelés, et c'est tout.

Le seul qui ouvre la bouche, c'est le Mohawk.

— Regardez la, tic tic, la, tic tic, Lune, les gars, avez-vous remarqué qu'elle n'est jamais à la même place? C'est la preuve qu'elle *bouge*. C'est pas normal. Avant elle existait pour vrai, mais les Américains l'ont fait exploser avec leurs bombes atomiques pour montrer aux Russes de quoi ils étaient capables. Ça se passait quand les Russes envoyaient des chiens dans l'espace, maintenant ils essaient de nous faire croire que la Lune est encore là à cause des marées et de l'astro, tic tic, l'astro, tic tic, l'astronomie, mais ils ne sont même pas foutus de la faire apparaître à la même place…

Tout le monde fait comme s'il n'existait pas, sauf le type aux deux revolvers dans le front, qui finit par lui lâcher un « Ta gueule! » qui fait sursauter tout le monde.

Le Mohawk ravale ses paroles d'un coup sec, mais il est aussitôt agité de spasmes et de tics nerveux épouvantables. J'imagine qu'il réussit à contrôler un peu ses tics quand il parle, comme si les mots lui servaient de soupape. Pauvre gars. Pourquoi l'empêcher de parler, si ça lui fait du bien? Personne n'est obligé de croire ce qu'il raconte, ni même de l'écouter.

Les gardiens ne semblent pas apprécier l'intervention du tatoué aux revolvers, eux non plus. L'un d'eux se lève d'un bond, comme s'il était assis sur un ressort, et s'approche du feu en tenant quelque chose dans sa main. Quand il passe près de moi, je vois très bien de quoi il s'agit : c'est un *Taser*, une de ces armes qui envoient des décharges électriques. Je connais quelques gars qui ont déjà goûté à ça, au centre de détention. C'est une expérience qu'ils n'oublieront jamais.

Le gardien circule un moment parmi nous avec un air soupçonneux, comme s'il cherchait le coupable, avant d'aller retrouver ses compères buveurs de bière.

Le Mohawk était sérieux quand il m'a recommandé de me la fermer si je tenais à ma peau. Je jette un œil dans sa direction : il semble avoir un peu moins de convulsions, tout à coup. Tant mieux pour lui.

Pour ma part, j'essaie de me rendre invisible, ce qui n'est pas très difficile : personne ne semble se préoccuper de ma présence. Tout le monde vit dans sa bulle, sans jamais regarder les autres – ou alors du coin de l'œil, le regard chargé de méfiance.

Certains gars se dirigent maintenant vers l'école en titubant, mais la plupart restent assis sans bouger, complètement anesthésiés. Ils pourraient marcher sur les braises sans s'en apercevoir, et ce ne serait pas grâce à la puissance de leur volonté.

Les quatre gardiens sont encore là, à l'écart, et continuent de nous surveiller en tétant leur bouteille.

Je retourne lentement vers l'école en faisant semblant de tituber et en essayant surtout de ne pas trébucher sur les corps des gars qui sont tombés comme des sacs de sable. Certains ont l'air installés là pour la nuit et ont déjà commencé à ronfler.

J'ai l'habitude de ce genre de situation. Quand ma mère recevait ses *amis*, il fallait souvent que j'enjambe quelques corps pour me rendre à la cuisine, le matin. Ils étaient tellement saouls ou gelés, ou les deux à la fois, que je pouvais les traîner jusque dans le salon pour libérer le corridor. Je les empilais là pour qu'ils prennent moins de place, ensuite je partais pour l'école. J'arrivais souvent en retard, ces matins-là, et j'aboutissais à la bibliothèque, comme d'habitude.

Je marche parmi des gars endormis sur la terre battue et je pense à tous ces films de guerre où on voit des cadavres qui jonchent les plages. Les jeunes qui se trouvent ici n'ont pas reçu une balle dans la tête, mais le résultat est le même : ce sont des cadavres qui respirent. Quand ils vont se réveiller, demain matin, ils diront peut-être, comme les amis de ma mère : « Oh *boy*, méchant party ! On a eu du fun en masse ! » Comment peuvent-ils prétendre avoir du fun alors qu'ils ne se souviennent de rien ? Quel plaisir peut-il y avoir à devenir un mort-vivant ?

Peut-être qu'ils sont comme moi, au fond : ils rêvent de se sauver tellement loin qu'ils ne seraient même plus là, si vous voyez ce que je veux dire. Ils veulent se sauver, mais ils ne courent que dans leur tête. Mon rêve à moi, ce serait plutôt de me sauver pour vrai. Si seulement je pouvais trouver un endroit où aller…

Je réussis à regagner ma chambre, je m'allonge sur mon lit qui grince et je regarde le plafond en songeant que demain matin, en me réveillant, je me rendrai sûrement compte que tout cela n'était qu'un cauchemar. Je ne peux pas avoir été placé ici par un juge, c'est impossible.

Mais si c'est vraiment un cauchemar, je risque de me réveiller chez ma mère, ce qui serait pire.

Ce que je préférerais, au fond, ce serait de me réveiller au centre de détention. Le lit était confortable, il y avait de l'eau chaude dans les douches, la bibliothèque était dix fois mieux garnie que celle de mon école, et je pouvais manger à ma faim. Les autres trouvaient que la nourriture de la cantine était dégueulasse, mais pas moi. Comparé à ce que je mangeais à la maison, chaque repas était un festin.

Je m'endors le ventre creux, en songeant au sandwich que le Nazi m'avait promis et dont je n'ai jamais vu la couleur.

Je n'ai aucune difficulté à dormir sur ma faim. C'est plus facile de s'habituer à ça qu'aux fausses promesses de ma mère : *Demain, j'arrête de boire. Demain, je change de vie. Demain, je te prépare un vrai repas, c'est promis.* À l'école, j'ai consulté plusieurs fois le dictionnaire pour vérifier le sens du mot *demain*. Ça peut signifier « le jour d'après », mais ça peut aussi vouloir dire « dans un futur plus ou moins proche ». Chose certaine, ce n'est pas un synonyme de *jamais*.

Ce n'est pas pour rien que ma mère ne voulait pas m'acheter de dictionnaire.

5
Petit déjeuner compris

Je suis réveillé par le son d'une cloche qui provient du corridor. C'est une de ces vieilles cloches de métal rouges avec un petit marteau qui cogne dessus, comme à l'école primaire. Je ne suis donc pas au centre de détention, où je me faisais tirer du lit par une sonnerie électronique, et encore moins chez ma mère, où je me faisais le plus souvent réveiller par des hommes saouls qui voulaient dormir sur le matelas qui me servait de lit.

J'ouvre un œil, puis l'autre : je reconnais les murs de ma cellule, la table, le dictionnaire.

J'entends des bruits d'eau qui coule dans les tuyaux, et des connexions se font aussitôt dans mon cerveau : eau + savon + serviette = douche. Je m'habille, je prends ce qu'il faut dans le premier tiroir et j'ouvre la porte de ma chambre en même temps qu'une douzaine de gars qui dorment dans la même aile. Plusieurs se dirigent vers une extrémité du corridor, d'où proviennent des odeurs de café et de pain rôti. J'abandonne aussitôt l'idée de la douche et je décide de les suivre. J'ai encore plus faim de pain que de propreté.

À la porte d'une grande salle, le Nazi remet une carte à chacun des arrivants. Je retourne la mienne et découvre un dix de trèfle. Qu'est-ce que ça peut bien vouloir dire ? J'entre dans la salle, où je vois quatre grandes tables, autour desquelles s'assoient les autres gars.

Je comprends vite que les cartes servent à assigner des places : les gars se regroupent par couleurs et déposent leur carte sur la table, devant eux.

Je repère la table des Trèfles, où je m'assois entre le neuf et le valet.

J'observe discrètement les gars qui m'entourent : celui qui a deux revolvers tatoués sur le front se trouve en face de moi, entre un skin qui louche et un gothique aux oreilles décollées. Je suis pour ma part entouré d'un Hells Angel format réduit et d'une espèce de gargouille qui ne semble pas utiliser de savon très souvent. Quand tout le monde a pris sa place, nous sommes treize autour de la table.

Quatre fois treize, ça donne exactement cinquante-deux, d'où l'idée d'utiliser un jeu de cartes pour assigner les places. La question est de savoir pourquoi on agit ainsi plutôt que de nous laisser nous asseoir où nous le voulons. Si j'étais dans une vraie colonie de vacances, je dirais qu'on veut nous donner la chance de nouer le plus de contacts possible avec nos camarades, mais ici, j'ai plutôt l'impression qu'on vise l'effet contraire : le but de l'opération est sûrement d'empêcher que se développent des relations durables. Un silence pesant règne d'ailleurs autour des tables, et les gars échangent des regards craintifs.

Le seul qui semble avoir le droit de parler, c'est encore le Mohawk, assis à la table des Cœurs. Il dit que si les requins n'existent pas, les pieuvres existent pour vrai, même qu'il y en aurait des géantes qui seraient capables de détruire New York si elles le voulaient, mais elles ne veulent pas à cause de la pollution. C'est toujours bon à savoir.

Les quatre adultes que j'ai vus hier soir près du feu de camp ont leur propre table, juchée sur une estrade. Le Nazi porte toujours son chandail des Bruins de Boston, et les autres sont vêtus de jeans et de tee-shirts moulants. À la lumière du jour, je peux maintenant distinguer les tatouages de fils barbelés et de chaînes sur leurs biceps. Je remarque aussi qu'ils ont tous les quatre un *Taser* à la ceinture.

Les gardiens se lèvent à tour de rôle pour remplir leur assiette à une grande table située au fond de la salle, et qui est garnie d'une montagne de victuailles.

Quand ils ont terminé, le groupe des Piques les imite, en partant de l'as jusqu'au deux. J'observe leur manège : chacun pose sa carte sur la grande table, puis prend un plateau et le remplit de nourriture. D'après ce que je vois, personne ne limite les portions.

Vient ensuite le tour des Trèfles. Je me lève en même temps que les autres, et je me place en rang. Quand j'arrive à la grande table, je prends un plateau et j'écarquille les yeux : des berlingots de lait et de jus, des muffins, des croissants, des pâtisseries, des céréales, des fruits… Comme la gargouille qui me précède n'hésite pas à remplir son plateau à ras bord, j'en fais autant, en commençant par des croissants : j'en ai déjà mangé chez ma grand-mère quand j'étais petit, il y a très longtemps, et j'avais trouvé ça délicieux.

Deux croissants, un muffin, un bol de céréales et un grand verre de jus d'orange plus tard, j'ai le ventre gonflé, et je me sens beaucoup mieux disposé envers les gens qui ont eu la bonne idée de me faire participer à cette expérience. Si tous les repas sont comme celui-là, je suis prêt à m'installer ici en permanence !

Quand nous avons fini de manger, les gars qui sont à la table des Piques sortent de la salle, bientôt suivis des Trèfles, des Carreaux et des Cœurs. Je remarque cependant que ceux qui ont pigé le deux et le trois de carreau restent dans la salle pour ranger la vaisselle dans des bacs de plastique. J'imagine que tout le monde doit faire des corvées à tour de rôle.

Nous voici maintenant dans la cour, réunis devant un grand panneau de contre-plaqué sur lequel se trouve l'horaire de la journée.

8 h 00 :	Soccer : Piques *vs* Cœurs, Trèfles *vs Carraux.*
10 h 30 :	Piques : lac
	Trèfles : *pneus*
	Carraux : *hatlétisme*
	Cœurs : sacs
12 h 00 :	Dîner
13 h 00 :	Soccer : Piques *vs* Trèfles, Cœurs *vs Carraux*
14 h 30 :	Piques : *pneus*
	Trèfles : sacs
	Carraux : lac
	Cœurs : libre
Sortie :	*Carraux*

J'en déduis que les gens qui ont rédigé ce panneau sont nuls en orthographe, mais surtout que je suis dans une sorte de camp paramilitaire. Je ne suis pas plus doué qu'il faut pour le soccer, mais je peux me débrouiller. Le lac m'inquiète un peu plus : je ne sais pas nager, et j'ai peur d'avoir l'air ridicule. Pour ce qui est des pneus et des sacs, je n'ai aucune idée de ce que ça signifie. Mais, si je me fie aux grognements que j'entends chez les Cœurs et les Trèfles, ça doit ressembler à une corvée pas très réjouissante.

Pour le moment, je dois me préparer à jouer au soccer avec mon équipe. Je m'apprête à suivre le groupe des Trèfles, qui se réunit près du mur de l'école, lorsque je vois le Nazi me faire signe de le rejoindre.

— Pas de soccer ni de pneus ce matin, me dit-il à voix basse. Pour toi, ce sera une séance de psychothérapie. Tu as rendez-vous avec Véronica ! Ha ha ha ! Tu connais Véronica Lodge, j'espère ? Tu sais, la fille super riche, dans les *comics* d'Archie ? Tu vas bientôt la voir en chair et en os ! Surtout en chair ! Ha ha ha ! Attends-toi à un choc : la troisième dimension, mon vieux, ça change tout ! Ha ha ha ! Bon, suis-moi…

Son humour est toujours aussi douteux, mais, pour une fois, je pense que je comprends ce qu'il veut dire : ou bien sa Véronica Lodge est un super pétard, ou bien mon Nazi est un maître de l'ironie.

6
Conversation avec Véronica

Ce n'était pas de l'ironie : avec son nez retroussé, ses jambes interminables, sa taille de guêpe et ses longs cheveux noirs lustrés, ma psychologue ressemble comme deux gouttes d'eau à une Véronica Lodge revue et améliorée pour figurer dans un magazine pour adultes. J'ai rencontré plusieurs psychologues au centre de détention, et certaines étaient très jolies, mais aucune ne portait de short ultra-court ni de chandail moulant. Le Nazi avait raison : la troisième dimension, ça change bien des choses. Si jamais Véronica veut me faire un traitement par hypnose, elle n'aura pas besoin de pendule. Il faut absolument que je trouve un moyen de regarder autre chose que son chandail, sinon je risque d'avoir des problèmes avec ma troi-sième dimension à moi…

Assise dans un grand fauteuil en osier qui lui donne des allures de reine, ma psycho-logue consulte en silence le dossier qui se trouve sur ses genoux. Elle tourne une feuille, fronce les sourcils, tourne une autre feuille, coche quelque chose avec un crayon… Je me doute un peu de ce qu'elle apprend ainsi sur mon compte, et je sais déjà qu'il s'agit d'un ramassis de faussetés.

Je regarde autour de moi pour me chan-ger les idées tandis qu'elle poursuit sa lecture. La pièce ressemble un peu à ma cellule, avec des boiseries plus riches et une fenêtre deux fois plus grande. J'imagine que ce local était le bureau d'un directeur plutôt que celui d'un simple frère enseignant, à l'époque où cette bâtisse abritait encore un orpheli-nat. À l'exception du fauteuil en osier de Véronica, qui semble neuf, le mobilier est composé de très vieux meubles qui doivent avoir le même âge que l'édifice. On aperçoit ici aussi la trace d'un crucifix sur le mur.

— Bon, commençons notre séance, Maxime… Préfères-tu que je t'appelle Max ?

— C'est comme vous voulez.

— Alors, ce sera Max… Je suis ici pour t'aider, Max. Tu peux te confier à moi sans crainte. Tout ce que tu me diras restera entre nous, c'est promis. Un secret, pour moi, c'est quelque chose de sacré.

Une sonnette d'alarme retentit dans un coin de mon cerveau : une vraie psychologue ne dirait jamais qu'elle respecte les secrets. C'est supposé aller de soi, non ? Et pourquoi ne se présente-t-elle pas ? On dirait que personne, ici, n'a le droit de se nommer…

— Je vois que tu as été arrêté deux fois pour avoir fait des livraisons de drogue. Pour qui travaillais-tu, Max ?

Me prend-elle pour un imbécile ? Si elle s'imagine que je vais lui révéler ce que je n'ai pas dit aux policiers ni aux juges, elle se met un doigt dans l'œil jusqu'au coude. Je lui répète donc la version officielle, mot pour mot.

— Mon fournisseur s'appelait Kevin. Je le rencontrais dans la ruelle qui se trouve derrière la brasserie, au coin de ma rue. Il me donnait la marchandise et une liste d'adresses, ensuite je faisais des livraisons. Je ne m'occupais pas de l'argent. C'est lui qui passait un peu plus tard chez les clients pour se faire payer. Les policiers qui m'ont arrêté m'ont montré des centaines de photos, mais je ne l'ai pas reconnu. Tout ce que je sais, c'est qu'il s'appelait Kevin. En tout cas, c'est le nom qu'il m'a donné.

— Pourquoi faisais-tu ça, Max ?

— Pour l'argent. Connaissez-vous une autre raison pour travailler ?

— Ça payait bien ?

— Pas vraiment, non.

— Je suppose que tu pouvais quand même piger un peu dans ton sac pour satisfaire tes propres besoins. Tout le monde le fait…

— Pas moi. Je ne consomme pas.

— Va raconter ça à d'autres, Max ! Qu'est-ce que tu préfères ? Le pot, le hasch ? Quelque chose de plus fort ? Ecstasy ? Crack ? Cocaïne ?

— Je vous ai dit que je ne consommais pas. J'ai sûrement inhalé beaucoup de fumée secondaire quand j'étais chez ma mère, j'en ai sûrement consommé aussi quand j'étais dans son ventre, mais je n'ai jamais rien pris volontairement.

— Arrête de me raconter n'importe quoi, veux-tu ? La première étape de ton traitement, c'est d'accepter que tu as un problème de dépendance. Tant que tu le nieras, tu n'arriveras à rien et tu continueras à te détruire.

— Je ne nie rien du tout. Je n'ai jamais consommé volontairement quelque drogue que ce soit, et c'est la vérité. Si vous ne voulez pas me croire, c'est *vous* qui avez un problème. J'ai fait des livraisons de drogue, c'est vrai. C'est pour ça qu'on m'a arrêté. Je suis prêt à payer pour ce que j'ai fait, mais vous ne me ferez pas avouer des crimes que je n'ai pas commis.

Je l'ai regardée droit dans les yeux en disant ces mots, et Véronica me semble un peu ébranlée, du moins si je me fie à la gymnastique qu'elle fait faire à ses sourcils.

— Pourquoi as-tu fait des livraisons, dans ce cas ? Tu dis toi-même que ce n'était pas payant ! Peut-être que tu piquais un peu de drogue pour la revendre à ton compte…

— Si j'avais piqué de la marchandise, je me serais fait casser les deux jambes. Je tiens à les garder. C'est commode pour marcher.

— Tu es donc parfaitement *clean*, si je comprends bien ? Tu n'as jamais rien fait de mal ? Tu es une pure victime, un parfait innocent, un ange descendu sur terre ?

— Je n'ai jamais dit ça, madame. Je vous ai avoué avoir fait des livraisons de drogue parce que c'est la vérité. Je savais ce que je faisais.

— Tu n'as jamais rien fumé, tu en es sûr ? Pas même un petit joint avec tes amis, pour essayer ? Tous les jeunes que je connais ont envie de tenter des expériences, c'est normal.

— Je vous répète que je n'ai jamais fumé quoi que ce soit volontairement, même pas du tabac. C'est peut-être difficile à croire, mais c'est la vérité.

Pourquoi ai-je l'impression qu'elle est déçue ? Elle me regarde en fronçant encore une fois les sourcils, puis elle se penche sur ses notes et feuillette quelques pages avant de revenir à la charge. Elle ne me regarde pas dans les yeux, cependant. Elle fixe plutôt le mur, derrière moi, et me parle sur un ton neutre, comme si elle récitait par cœur un discours qu'elle a trop souvent répété.

— Écoute-moi bien, Max. Les jeunes qui sont ici ont tous de sérieux problèmes de dépendance à la drogue, mais ils éprouvent surtout de grandes difficultés à gérer la violence qui les habite. La thérapie que nous leur proposons se fonde sur les travaux du docteur Moore, qui est une sommité en la matière. Il propose de prioriser la question de la violence, justement, pour *ensuite* s'occuper des problèmes de consommation. Nous offrons donc aux jeunes de quoi satisfaire leurs besoins en psychotropes. De cette manière, nous nous assurons qu'ils n'auront pas à commettre de crimes pour se procurer leur dose, et nous pouvons nous concentrer sur les fondements de leur personnalité. Ce que nous offrons aux jeunes, dans ce camp, c'est une thérapie en profondeur, fondée sur trois grands axes. D'abord, l'activité physique intense, qui permet de nettoyer le système de ses toxines – je parle ici des toxines psychologiques, qui restent bien plus longtemps dans l'organisme que celles qui circulent dans le sang. Ensuite, la thérapie psychologique proprement dite, que nous entreprenons aujourd'hui. Finalement, le silence, qui permet un meilleur travail sur soi-même. Tant que tu seras avec moi, il te sera possible de parler autant que tu voudras, et de tous les sujets que tu voudras. Tu y es même fortement encouragé. Mais dans le reste du camp, le silence est obligatoire. Tu pourras ainsi te concentrer sur la violence qui t'habite, et la faire monter à la surface pour mieux la faire éclater «comme les bulles dans un verre d'eau gazeuse», selon les mots du docteur Moore.

— … Est-ce que je peux vous poser une question?

— Tu peux me poser toutes les questions que tu veux, Max.

— Vous dites que votre thérapie s'adresse à des jeunes qui ont des problèmes de violence et de consommation de drogues. Le problème, si je peux dire, c'est que je n'ai aucun de ces problèmes.

— La première étape de la guérison, Max, répond-elle en poussant un soupir d'exaspération, c'est de *reconnaître* ses problèmes. Tout le monde se réfugie dans le déni, au début, c'est normal, mais tant que tu n'admettras pas ta dépendance aux drogues, tant que tu n'en trouveras pas les racines au plus profond de toi-même, tu ne trouveras pas le chemin de la guérison. Je m'attends à ce que tu me dises la vérité, Max. De ce point de vue-là, c'est plutôt mal parti entre nous...

Elle ne me croit pas. Pire encore, elle ne *peut pas* me croire, et je la comprends un peu. J'ai été arrêté deux fois pour trafic de drogue, j'ai fréquenté une école secondaire où la moitié des gars se gèlent la bine du matin au soir, et je voudrais lui faire croire que je n'ai jamais rien fumé de ma vie ? *Come on !*

Comment lui expliquer que c'est pourtant la vérité ? Est-ce que je devrais prétendre que je me défonce tous les soirs juste pour lui faire plaisir ? Je n'ai pas envie de mentir. Surtout pas sur ce sujet-là. C'est une question de principes. Plutôt que de répéter encore une fois que je n'ai jamais consommé, je préfère donc me taire. C'est ce que l'école m'a appris de mieux, après tout.

Nous gardons le silence pendant un bon moment, puis Véronica reprend les commandes de la conversation.

— Revenons maintenant au troisième axe de la thérapie. Comme je te le disais, tu devras garder le silence en toutes circonstances…

— Est-ce que la règle vaut pour tout le monde ? J'ai cru remarquer qu'il y avait une exception…

— Je vois de qui tu veux parler. Le règlement ne s'applique pas à lui, en effet. Le pauvre garçon souffre du syndrome de la Tourette. Sais-tu ce que c'est ?

— Pas vraiment, non.

— C'est une maladie qui est à la limite de la neurologie et de la psychiatrie. Elle doit son nom à un médecin, Gilles de la Tourette, qui a été le premier à l'étudier sérieusement. Ceux qui en souffrent sont incapables de contrôler le flux de leur parole. Ils sont aussi agités de tics et de spasmes parfois violents, comme tu as dû le remarquer. Certains d'entre eux tiennent des propos violents, ou scabreux. C'est ce qu'on appelle la coprolalie.

— Comment vous dites ça ? *Coprolalie* ?

— C'est ça, oui. Ce n'est pas le cas de notre ami, heureusement pour lui : dans un milieu comme le sien, il se serait fait casser la gueule depuis longtemps. Ne te préoccupe pas de lui, ça vaut mieux pour tout le monde. Fais comme s'il n'existait pas. Si tu me permets de te donner un autre conseil, Max, je te suggère fortement d'agir en tout temps comme si tous les autres jeunes n'existaient pas. Tu ne peux pas imaginer le nombre de criminels violents, et même de meurtriers qui se trouvent parmi tes camarades. La plupart ont la mèche courte et ils peuvent péter les plombs pour un oui ou pour un non. Revenons maintenant à l'axe principal de notre thérapie. Nous croyons, avec le docteur Moore, que les jeunes doivent impérativement *exprimer* leur violence plutôt que de la *comprimer*. Nous voulons qu'ils *l'extériorisent*, qu'ils se fassent eux-mêmes leur propre *catharsis*. Une de tes principales tâches, à partir de maintenant, sera de te trouver un rôle qui te permette d'assumer cette violence.

— Ça veut dire quoi, une *catharsis* ?

— Ça veut dire que tu dois te libérer par le jeu de tout ce que tu refoules, de ce qui t'oppresse.

Je ne suis pas sûr de tout comprendre, mais je me sens soulagé : le gardien qui porte un chandail des Bruins n'est donc pas un véritable nazi, et les gars qui me semblent si hostiles ne sont peut-être pas aussi agressifs qu'ils en ont l'air. Tout le monde se livrerait donc à un jeu un peu bizarre, une sorte de théâtre silencieux, où il faudrait *jouer* à avoir l'air violent…

— … Tu es maigre, plutôt petit… Je ne sais pas ce que tu en penses, mais je t'imagine très bien avec des vêtements noirs. Il y a quelque chose d'arachnéen chez toi… Si j'étais toi, je me composerais un personnage un peu sournois, tu vois… Mais la question du costume viendra en temps et lieu. Parlons d'abord de toi. Pour notre premier rendez-vous, je dispose de deux heures. Nous avons donc tout notre temps. Ensuite, nous nous verrons deux fois par semaine, à raison d'une heure par séance. Te sens-tu prêt à t'ouvrir un peu, Max ?

— … Avant de commencer, est-ce que je pourrais savoir votre nom ?

— Pourquoi me demandes-tu ça ?

— C'est normal, il me semble. J'aime savoir à qui j'ai affaire.

— Tu as des problèmes à établir des relations fondées sur la confiance, à ce que je vois… Tu n'as pas à connaître mon nom, Max. Je sais que certains m'appellent Véronica, mais ce n'est pas mon vrai nom, et ça n'a d'ailleurs *aucune* importance. Tout ce que tu dois savoir, c'est que je suis ici pour t'aider. Le docteur Moore pense que l'anonymat relationnel permet de mieux avouer ses fautes. C'est un peu ce que font les catholiques qui se confessent à un prêtre dissimulé derrière un grillage. Et maintenant, si on parlait un peu de tes parents, Max ?

Pourquoi les psychologues tiennent-ils tant à ce qu'on parle de papa et maman ? J'ai dû raconter cette histoire douze fois aux thérapeutes du centre de détention, mais il faut croire que ce n'est pas suffisant. S'il n'en tenait qu'à moi, je préférerais qu'on me donne une pilule qui me ferait oublier ma famille à tout jamais.

— Je n'ai jamais su qui était mon père. Ma mère ne l'a jamais su, elle non plus. Il ne sait donc même pas que j'existe. C'est à peu près tout ce que j'ai à dire sur lui.

— Je vois… Penses-tu souvent à lui ?

— Parfois, oui, dans mes rêves, la nuit. Je marche dans la rue, et une grosse limousine ralentit, comme si le conducteur voulait me demander un renseignement. Je regarde dans l'automobile, mais elle est vide. Il n'y a pas de conducteur, pas de passagers. Elle repart, et moi je reste là, sous la pluie. Mon père est un fantôme qui roule dans une voiture fantôme… J'y pense aussi pendant le jour, mais plus rarement. Je regarde des hommes dans la rue, et je me dis que c'est peut-être lui, ou lui, ou lui… Ensuite, je me dis qu'il est sans doute mort, qu'il est en train de pourrir quelque part au fond du fleuve et que c'est tout ce qu'il mérite. Mais s'il était vivant et qu'il essayait de prendre contact avec moi, je refuserais.

— Pourquoi ?

— Si un homme est mon père, ça signifie qu'il a eu des relations intimes avec ma mère. Peut-être que ça n'a duré que quelques minutes, mais il a quand même fallu qu'il *décide* d'avoir une relation avec elle, non ?

— Ça me paraît aller de soi…

— Ça suffit pour que je n'aie pas envie de le voir.

— Si on parlait un peu de ta mère, maintenant ?

— Croyez-vous aux requins ?

— … Je ne vois pas le rapport.

— Moi non plus. C'était juste pour changer de sujet. Aimez-vous le jardinage ? la lecture ? le cinéma ? Êtes-vous amatrice de *scrapbooking* ? Il paraît que c'est la grande mode. On pourrait parler de tellement de choses plus intéressantes…

— Parle-moi de ta mère, Max. Vide ton sac, tu te sentiras plus léger. Dis-moi tout ce qui te passe par la tête, sans te censurer.

Elle veut entendre parler de ma mère ? D'accord. Ouvrez grand vos oreilles, madame la psy, ça va débouler, et ça ne sera pas très beau.

7
Ma mère et moi

Ma mère est molle. Molle dans sa tête, molle de partout. Une grande asperge molle avec de gros seins mous.

Un jour, un de ses amants a voulu qu'elle se fasse installer des implants mammaires en silicone. Elle a accepté. Il lui a ensuite demandé de se teindre en blonde. Elle a accepté, encore une fois, mais le cher homme n'était pas vraiment content du résultat. Il trouvait que ses lèvres n'étaient pas assez pulpeuses, alors il a exigé qu'elle se fasse injecter du collagène. Il l'a emmenée chez un de ses amis qui n'était même pas médecin, mais qui prétendait savoir travailler avec des seringues. Il lui a mis plein de cochonnerie dans les lèvres. C'était boursouflé comme si elle avait embrassé un nid de guêpes, l'infection s'est mise là-dedans, c'était vraiment dégueulasse. Elle en a eu pour deux semaines à ne pas pouvoir manger – mais ça ne l'empêchait pas de boire ni de fumer.

Ça, c'était le résultat numéro un.

Le résultat numéro deux, c'est que le chéri l'a plantée là, et qu'elle a bu encore plus que d'habitude.

Ma mère a maintenant des seins trop gros pour elle et tellement de saloperies dans les babounes qu'elle n'a plus aucune sensibilité. Quand elle boit, le liquide coule sur son menton, des deux côtés du verre, et elle ne s'en aperçoit même pas. Si en plus elle est saoule ou gelée ou les deux en même temps, il faut avoir le cœur bien accroché pour la regarder, surtout si elle fume par-dessus le marché et qu'elle commence à tousser et à cracher.

Tenez-vous vraiment à ce que je continue ? Tant pis pour vous. Vous l'aurez voulu.

Ma mère est molle comme une guenille mouillée. Une vieille guenille mouillée, abandonnée dans une flaque de boue. Une vadrouille à moitié pourrie. Molle, folle, mongole… Tant que ça rime avec molle, c'est correct. Si ça ne rime pas mais que ça veut dire la même chose, c'est encore correct. Flasque. Nulle. Avachie. Poche. Moche. Tache. Vache, mais une vache sans colonne vertébrale, et qui ne donnerait pas de lait. Une méduse morte dans un bol de Jell-O moisi. Je pourrais continuer à faire des associations d'idées pendant des heures, ça reviendrait toujours au même : elle est M-O-L-L-E.

Peut-être qu'elle est née comme ça, je ne sais pas. Je me dis parfois que certaines personnes naissent sans bras ou sans jambes. Ma mère, elle, est née sans colonne vertébrale. Je parle de celle qu'on est censé avoir dans la tête, évidemment.

Elle est née dans une famille assez riche. Son père travaillait dans une banque, mais il est mort quand je n'avais même pas un an. Sa mère était avocate. Elle avait une super maison à Outremont. Un piano dans le salon. Des plantes vertes partout. De beaux livres reliés en cuir dans des bibliothèques vitrées. Je le sais parce que j'y suis allé quelques fois, quand j'étais petit. C'était toujours pour me faire garder. Ma mère me laissait là en disant à grand-maman qu'elle me reprendrait dans une heure ou deux maximum, promis juré, mais elle revenait me chercher trois jours plus tard, quand elle y pensait. Je m'en foutais pas mal qu'elle m'oublie là : j'étais mille fois mieux que chez moi. Il y avait des jouets, des croissants et de la confiture pour déjeuner, et des draps qui sentaient bon. Tout sentait bon chez ma grand-mère.

Quand ma mère revenait, elle me disait d'aller l'attendre dans l'auto parce qu'elle avait quelque chose à régler avec grand-maman. Je la voyais ensuite s'engueuler avec elle, puis regagner la voiture avec un air furieux. Elle claquait la portière, démarrait en faisant crier les pneus, et gueulait que ma grand-mère était une crisse d'égoïste, qu'elle devrait se mêler de ses crisses d'affaires et qu'elle aille crever si elle n'était pas contente, l'ostie de chienne. Ensuite, elle allumait une cigarette et bougonnait jusqu'à la maison. Moi, je ne l'écoutais pas. Ça faisait longtemps déjà que je ne la croyais plus.

Je rêvais souvent que ma mère mourait dans un accident et que j'étais adopté par ma grand-mère, mais c'est le contraire qui est arrivé. Ma grand-mère a eu un cancer et elle est morte quand j'avais dix ans. Ma mère n'est pas allée à l'enterrement. Elle avait oublié de régler son réveil.

Ça ne l'a pas empêchée d'hériter d'un gros paquet d'argent. Elle a décidé d'aller passer un mois dans une île du Sud pour fêter ça. Elle disait qu'elle l'avait bien mérité. Moi, pendant ce temps-là, je me suis fait garder par ma tante Élisabeth, la sœur de ma mère. Elle était super, ma tante Élisabeth. Elle travaillait pour le gouvernement et, chaque année, elle allait passer un mois dans un pays d'Afrique pour aider les gens. Gratuitement. Elle était super gentille avec moi. Je pense qu'elle aurait aimé avoir des enfants, mais qu'elle ne pouvait pas, alors elle se reprenait avec moi et avec les Africains. Elle m'emmenait au cinéma et à la bibliothèque, et je pouvais manger trois repas par jour.

Je rêvais que ma mère se noyait dans la mer des Caraïbes ou bien qu'elle était enlevée par des pirates et qu'on ne la retrouvait jamais. Élisabeth m'adoptait, et je m'installais dans son appartement. Elle vivait dans une grande tour, près d'un parc. De chez elle, on voyait le fleuve et les gratte-ciel du centre-ville. Il y avait une piscine pour tout le monde de l'immeuble, et un centre de conditionnement physique où on pouvait regarder la télévision en faisant du vélo stationnaire. J'aurais été super content de vivre là, mais ce n'est pas arrivé.

Ma mère a fini par revenir de son île du Sud avec un fiancé musclé qui portait des lunettes fumées et roulait en décapotable. Il disait qu'il avait plein de contacts partout, qu'il était un vrai *winner* et qu'il connaissait des trucs pour faire plein d'argent avec l'argent des autres. C'était presque vrai. En fait, il connaissait un seul truc, mais il le connaissait vraiment bien. Son truc, c'était de *faire croire* aux gens qu'il avait plein de trucs pour gagner de l'argent facilement. Ma mère lui a donné tout ce qu'elle avait, et il est reparti dans les îles du Sud pour le placer. Il nous a juré que nous serions tous millionnaires quand il reviendrait. Nous attendons toujours de ses nouvelles.

Quand ma mère a fini par comprendre qu'elle avait tout perdu, elle est allée voir sa sœur et lui a demandé de lui prêter un peu d'argent pour se refaire au casino. Elle était sûre de gagner parce que, disait-elle, la chance finirait bien par tourner. Élisabeth a refusé. Ma mère a traité sa sœur de crisse d'égoïste, il y a eu une grosse engueulade, et elles ne se sont jamais revues. Je ne sais même pas si ma tante est toujours vivante.

J'avais seulement dix ans, mais j'avais déjà compris quelque chose d'important à propos de ma mère : tout le monde était supposé l'aider, mais je ne l'avais jamais vue aider personne. Elle traitait tout le monde de sans-cœur, de pourri et d'égoïste, mais c'était plutôt elle qui était pourrie. Elle disait toujours qu'elle n'avait pas eu de chance, mais ce n'était pas vrai : elle avait eu toutes les chances, et elle les avait toutes ratées.

À l'école, j'ai appris à me taire. Avec ma mère, j'ai appris que ce que les gens disent d'eux-mêmes n'est pas vraiment important. On en apprend bien plus à leur sujet en les regardant agir qu'en les écoutant.

C'est peut-être une maladie qu'elle a attrapée, un microbe qui a fait son nid dans son cerveau, une bactérie mangeuse de colonne vertébrale, ou quelque chose comme ça. Peut-être qu'un médecin pourrait la soigner avec des pilules, peut-être qu'elle va rencontrer un jour un psychologue qui va lui expliquer comment faire pour changer. Moi, je ne suis pas médecin ni psychologue, alors je ne peux rien faire pour elle. C'est trop compliqué.

Je n'ai même pas envie de l'aider, si vous voulez la vérité. Ça serait comme essayer d'empêcher un éléphant de se noyer : c'est lui qui finirait par m'entraîner dans le fond.

Ma mère n'a jamais travaillé. Elle me disait *si tu penses* que je vais me lever chaque matin pour aller m'asseoir dans le métro avec des *losers*, *si tu penses* que je vais me décarcasser pour un patron en échange d'un salaire de misère, *si tu penses* que je vais déposer mon argent à la caisse populaire en attendant ma retraite, tu te trompes !

Je ne sais pas pourquoi elle disait toujours *si tu penses*, *si tu penses*... Moi, je n'avais jamais pensé une seconde qu'elle pourrait faire ça.

Ensuite, elle a trouvé d'autres façons de gagner de l'argent facilement, mais vous ne voulez pas vraiment savoir comment elle s'y prenait.

À la maison, elle ne faisait rien. Elle disait *si tu penses* que je vais passer mes journées à laver des planchers, tu te trompes. C'était encore une façon de parler, évidemment : jamais je n'aurais *imaginé* qu'elle passe ses journées à faire du ménage. J'ai beaucoup d'imagination, mais quand même pas à ce point-là !

Elle feuilletait des magazines en poussant de longs soupirs, elle regardait la télévision en fumant des cigarettes, elle s'ennuyait jusqu'à six heures du soir, et puis elle commençait à se maquiller. C'est à partir de ce moment-là qu'elle se réveillait.

Elle s'installait devant son miroir et ça pouvait durer des heures : de la crème par-ci, de la crème par-là, de la poudre par-ci, de la poudre par-là, une brosse pour les cils, une autre pour les sourcils, ça ne finissait plus. Quand j'étais petit, je trouvais que ça sentait bon. Plus vieux, ces odeurs me tombaient sur le cœur. J'avais hâte qu'elle s'en aille pour aérer la maison.

Vers neuf heures, elle avait l'air d'une vraie vedette. Elle se regardait une dernière fois dans le miroir avant de sortir, et je sentais qu'une lumière venait de s'allumer à l'intérieur d'elle. Tout le reste de la journée avait été une perte de temps. En sortant de la maison, elle commençait vraiment à vivre.

Vivre, pour elle, ça signifiait aller dans les bars et tomber amoureuse. Ça lui arrivait cinq ou six fois par mois, je dirais. Elle ramenait un homme qui s'installait chez nous pendant un jour ou deux. La plupart du temps, c'est lui qui levait le camp sans demander son reste. Il fallait avoir le cœur solide pour rester là. Ou bien être obligé, comme moi.

Quand c'était un peu plus sérieux, ma mère allait s'installer chez *son homme*, comme elle disait. Ça durait une semaine ou deux, parfois même un mois. C'était vraiment l'idéal pour moi : elle venait de temps en temps me donner de l'argent pour que je mange un peu, et, pour le reste, elle me laissait en paix. Je pouvais faire du ménage et je n'étais pas obligé d'écouter ses émissions de télévision débiles.

Quand elle se faisait planter là par *son homme* et qu'elle rentrait à la maison, c'était vraiment pénible. Elle ne se maquillait plus, elle buvait comme un trou, elle fumait tout ce qu'elle pouvait fumer, et tout ce qu'elle trouvait à dire c'était que les hommes étaient tous des osties de pourris de crisses de sans-cœur d'égoïstes.

Ce que je vous ai raconté, c'est ce qui se passait *avant*, quand ma mère était encore présentable. Maintenant, c'est moins joli.

8
Ce que je n'ai pas dit à Véronica

Je n'ai jamais dit toute la vérité aux psychologues, et je n'ai aucune envie de commencer avec Véronica.

Ce que je ne lui ai pas dit ne concerne pas la façon dont ma mère s'y prend pour gagner de l'argent. Ça, tout le monde peut l'imaginer facilement. Ce que je ne lui ai pas dit, c'est que ma mère est sous l'emprise d'un mac. Comme il s'appelle Donald, je n'ai pas eu à faire preuve de beaucoup d'imagination pour lui trouver un surnom.

Mac Do n'est pas du tout du genre Hells Angels. Il ne ressemble pas non plus à ces bandits qu'on voit dans les films et qui ont l'air tellement méchants qu'on se demande pourquoi les policiers ne les arrêtent pas dès le début. Ce serait plutôt le genre professeur de mathématiques, disons, mais qui serait habillé comme un directeur de banque. Une tête d'œuf, avec juste un peu de cheveux en arrière. Petite moustache, petite bedaine, petites jambes. Été comme hiver, il porte veston et cravate, et des chaussures brillantes comme des miroirs. Quand il vient chez nous, il prend toujours ses précautions avant de s'asseoir sur une chaise. La plupart du temps, il reste debout au milieu de la cuisine.

Mac Do vient à la maison une fois par semaine, le dimanche, vers l'heure du midi. Il me demande chaque fois d'aller chercher un sac à dos à l'arrière d'une camionnette qui est stationnée au coin de la rue. Je reviens à la maison avec le sac, il en vérifie le contenu, puis il me fait apprendre par cœur une liste d'adresses.

— Ce qui est écrit peut toujours servir de preuve, me dit Mac Do. Mais ce qui est enregistré sur le disque dur qui se trouve dans ton cerveau, personne ne réussira jamais à le sortir de là. Pas vrai, Max ?

Je hoche la tête pour lui indiquer que j'ai bien compris la leçon, puis je pars faire ma tournée. Les habitués prennent leur marchandise sans rien dire, mais ceux que je vois pour la première fois doivent me donner un mot de passe. Personne ne me paie. Mac Do va collecter l'argent un peu plus tard.

— Comme ça, m'explique-t-il, il n'y a pas de danger si je me fais arrêter. Il n'y a rien d'illégal à se faire donner de l'argent, ni à se promener avec du *cash* plein les poches. Il ne faut jamais prendre de risques, c'est ça, le système. Tu m'as bien compris, Max ?

Je hoche la tête une fois de plus, et il a l'air content de lui. J'ai parfois l'impression que Mac Do essaie de m'enseigner les rudiments de son métier, comme s'il espérait que je prenne un jour la relève. Ce gars-là a une drôle de façon de me regarder. Ce n'est pas comme s'il voulait coucher avec moi, non, c'est autre chose.

Si je pouvais lui dire ce que je pense, je lui répondrais que je l'ai compris depuis longtemps, son fameux système : il se débrouille pour que ce soit un autre que lui qui coure les vrais dangers, un point c'est tout. Ce quelqu'un d'autre, c'est d'abord le client, qui risque de se retrouver à l'hôpital s'il consomme les produits que Mac Do lui vend, et d'y retourner encore plus vite s'il ne peut pas payer ses dettes.

Ça peut aussi être moi, évidemment.

— Mais ce n'est pas grave, m'explique-t-il en me faisant un grand sourire. Tant que tu es mineur, ils ne peuvent rien contre toi. Le pire qui peut t'arriver, c'est qu'ils t'envoient dans un centre de détention pour les jeunes, et ces centres sont des plus confortables, crois-moi. Si jamais on t'arrête, tu dis aux policiers que tu ne sais pas ce qu'il y a dans ton sac, compris? Joue les imbéciles, c'est toujours payant.

— Compris.

— Tu leur raconteras que tu rencontres chaque semaine un dénommé Kevin dans la ruelle derrière la brasserie, que c'est lui qui te fournit la marchandise et que tu ne sais rien de plus. Tu m'as bien compris, Max?

— Il s'appelle Kevin, je le rencontre chaque semaine dans une ruelle derrière la brasserie, et je ne sais rien de plus.

— Parfait! Tu es vraiment doué, mon petit gars. Si jamais ils te demandent à quoi il ressemble, dis-leur qu'il est Noir, et que pour toi, les Noirs sont tous pareils.

Je déteste qu'il m'appelle son petit gars, comme si j'étais son fils. Je hoche quand même la tête – je n'ai pas tellement le choix –, et il me laisse partir avec mon sac à dos.

Quand je reviens, quelques heures plus tard, il donne un peu d'herbe et de poudre à ma mère – j'imagine que c'est le prix qu'il lui paie pour m'avoir *emprunté* –, mais à moi, il ne me donne jamais que de l'argent.

— Fais ce que tu veux avec le *cash*, mais ne touche jamais à la dope, tu m'entends ? La dope, c'est pour les *losers*. Je serais très déçu si j'apprenais que tu touches à ça. *Très* déçu. On se comprend, Max ? On est fait du même bois, toi et moi. Du bois dont on fait les vrais *winners*. Un jour, tu seras un vrai *king*, comme moi. Les gens se mettront à genoux devant toi, ils mangeront dans ta main, et tu auras toutes les femmes à tes pieds. Il suffit de leur promener un sachet de poudre sous le nez et tu en fais ce que tu veux, crois-moi.

J'ai toujours suivi ce conseil-là : je n'ai jamais consommé la cochonnerie qu'il me faisait vendre. Je me servais de l'argent pour acheter des sous-marins chez Subway, ou du chocolat, ou des crayons pour l'école, des choses comme ça. Jamais de disques, de livres ou de trucs électroniques : ma mère serait allée les revendre.

Mac Do a sans doute raison d'être fier de son système : il a les poches pleines de *cash*, et il ne s'est jamais fait arrêter.

Moi, oui. Deux fois.

La première fois, j'avais quatorze ans. Le juge m'a placé dans une famille d'accueil, mais ma mère est revenue me chercher après deux ou trois mois. Elle a monté un scénario avec Mac Do pour montrer qu'elle était une super bonne mère. Tout le monde est tombé dans le panneau.

La deuxième fois, c'est maintenant. J'ai d'abord fait un séjour au centre de détention pour les jeunes, et je dois admettre que Mac Do avait raison : c'est confortable. En fait, c'est beaucoup mieux que chez moi.

Les policiers m'ont interrogé des dizaines de fois, mais je leur ai toujours donné la même réponse : mon fournisseur s'appelle Kevin, et je le rencontrais dans la ruelle, derrière la brasserie. Il me donnait une liste d'adresses, jamais les mêmes, et je brûlais la liste quand j'avais fini ma tournée. Je ne me souviens plus d'aucune de ces adresses. Je ne peux rien dire de plus, parce que je ne sais rien de plus.

Ils ont fini par me croire. Ou par faire semblant.

Un jour, des policiers m'ont montré des photos d'individus qu'ils soupçonnaient de trafic. J'ai reconnu Mac Do, j'aurais pu dire c'est lui, allez l'arrêter, mettez-le en prison.

J'aurais témoigné contre lui avec plaisir, mais c'était impossible.

Quand Mac Do me donne mon argent, il sort parfois un couteau de sa poche et il fait semblant de se raser. Il n'a pas la barbe très drue, mais quand il ouvre la bouche pour faire une caisse de résonance, j'entends quand même les *crouche crouche* de la lame sur sa joue. Ensuite, il met son couteau sur ma gorge et il appuie juste assez pour que je sente le tranchant de la lame.

— Si jamais tu me dénonces, me dit-il à voix basse, je saigne ta mère. Tu me comprends bien, Max ? Je la saigne comme un cochon.

Je dis oui, en bougeant le moins possible.

— Et si jamais j'apprends que tu as volontairement commis une erreur dans l'espoir de te faire arrêter, je t'attendrai à la sortie du centre de détention et je te saignerai, toi aussi. Où que tu ailles, je te retrouverai. C'est bien compris, Max ?

Je me demande encore comment il a pu lire dans mes pensées : j'essayais depuis longtemps de trouver un truc pour me faire arrêter sans que ça paraisse, juste pour pouvoir changer de vie.

Mais je n'ai pas eu besoin de faire exprès. Les policiers se sont fait passer pour des acheteurs, et ils m'ont pris la main dans le sac – c'est vraiment le cas de le dire. Mac Do avait mal choisi ses clients, cette fois-là. C'est donc lui qui est responsable de mon arrestation, et il le sait très bien.

Il sait aussi que je ne le dénoncerai jamais : j'ai beau ne pas aimer ma mère, je ne veux pas qu'elle meure à cause de moi. Malgré tout ce qu'elle a fait, malgré tout ce qu'elle n'a pas fait, c'est quand même ma mère.

Une fois, à la bibliothèque de mon école, je suis tombé sur un livre qui s'intitulait *Les douze secrets du bonheur*. J'ai tout de suite pensé que c'était le livre le plus stupide qui ait jamais été écrit : s'il n'y avait que douze secrets à apprendre pour être heureux, tout le monde les saurait déjà, non ?

Je l'ai feuilleté quand même, et c'était vraiment stupide. D'après l'auteur, tout le monde a le pouvoir de se prendre en main et de devenir millionnaire. Il suffit de vouloir très très fort. Il n'a jamais rencontré ma mère, celui-là !

Le premier secret, disait-il, c'est qu'on est responsable de chacun des pas qu'on fait. À chaque moment de notre vie, on peut décider de tourner à gauche ou à droite, ou bien de rester là, ou encore de continuer tout droit et de foncer dans un mur. C'est toujours à nous de choisir.

Je n'ai pas lu le livre jusqu'à la fin, mais en y repensant par la suite, je me suis dit qu'il avait quand même un peu raison. Pour courir le marathon, il faut d'abord mettre un pied devant l'autre, et ainsi de suite jusqu'au fil d'arrivée. Si jamais on réussit, tant mieux. Et si jamais on échoue, tant mieux aussi : au moins, on a essayé quelque chose, et on peut toujours se dire qu'on courait dans la bonne direction.

Peut-être que ma mère va se lever de son sofa, un jour. Peut-être qu'elle va écraser sa dernière cigarette, qu'elle va boire son dernier verre et qu'elle va essayer de faire quelque chose au lieu d'accuser tout le monde de son malheur. Peut-être qu'elle va essayer d'aller dans la bonne direction, pour une fois.

Ce que je sais, moi, c'est que je n'ai pas envie de devenir comme elle. Je ne suis pas responsable de ce qui lui est arrivé. Je ne suis pas responsable de ma mère. Si je peux trouver une façon de tourner à droite ou à gauche pendant qu'elle continue à foncer dans le même mur, je ne vois pas pourquoi je m'en empêcherais.

9
À quoi penses-tu, Max ?

— À quoi penses-tu, Max ? demande Véronica. Ça fait cinq minutes que tu regardes dans le vide…

— … Est-ce qu'on pourrait changer de sujet ? On a assez parlé de ma mère pour aujourd'hui.

— C'est comme tu veux. Nous y reviendrons sûrement, un jour ou l'autre, et la séance est bientôt finie, de toute façon. Laisse-moi encore t'expliquer une chose ou deux sur le fonctionnement de notre camp, Max. Tu vas maintenant descendre au sous-sol, où tu trouveras tous les vêtements dont tu auras besoin pendant ton séjour parmi nous. Prends-toi des jeans, des shorts, des tee-shirts, tout ce qu'il te faut pour te sentir à l'aise. N'oublie surtout pas de te munir de bonnes bottes de randonnée, tu en auras besoin. Tant que tu resteras autour de l'école, tu pourras t'habiller comme tu veux, ça n'a aucune importance. Pour tes sorties, je veillerai à ce qu'on te fournisse bientôt une tenue qui te permettra d'assumer ta part d'ombre. Certains aiment tellement les vêtements que je leur choisis qu'ils les portent toute la journée. Me fais-tu confiance pour te trouver un costume approprié ?

— … Oui…

— Tu ne le regretteras pas. J'adore créer des looks macabres. À la prochaine, Max.

— … La thérapie est finie ?

— La *séance* est terminée, oui, mais ton travail sur toi-même ne fait que commencer. Nous nous reverrons dans deux jours, à la même heure. D'ici là, essaie de te dépenser au maximum : il n'y a rien de mieux que l'activité physique pour chasser les toxines de l'esprit. Et n'oublie surtout pas de garder le silence : ça te permettra de creuser loin à l'intérieur de toi pour établir les fondations de ta nouvelle personnalité.

J'aurais aimé lui poser encore quelques questions, mais Véronica regarde en direction de la porte pour bien me faire comprendre que notre entretien est terminé.

— Pour les vêtements, tu n'as qu'à tourner à gauche et à descendre par le premier escalier, me dit-elle encore pendant que je tourne la poignée.

Je sors de son bureau et je ne vois personne dans le corridor.

Je tourne à gauche, j'emprunte un vieil escalier de bois dont les marches sont creusées au milieu et qui craquent sous mes pas. J'aboutis directement dans une grande salle presque entièrement plongée dans l'obscurité. Il n'y a qu'une petite fenêtre de rien du tout, au fond, et la lumière qui se fraie un chemin à travers la vitre sale est trop faible pour que je puisse distinguer autre chose que de grosses masses sombres.

J'actionne le commutateur qui se trouve près de la porte, et les néons du plafond s'allument un à un en grésillant. À ma gauche, j'aperçois de longues tringles sur lesquelles sont suspendus des costumes, et de grandes tables sur lesquelles sont disposés d'autres vêtements, de même que des chaussures. Ça ressemble beaucoup au comptoir de la Société Saint-Vincent de Paul, où je vais m'habiller quand Mac Do me donne un peu d'argent. En y regardant de plus près, je me croirais plutôt chez un costumier de théâtre : sur une des tringles, je vois des blousons de motards, des capes de velours noir et des chemises à jabots de dentelle comme en portent les gothiques pour jouer aux vampires…

— Tu ne regardes pas du bon bord, le pic !

Le Nazi vient d'apparaître dans le cadre de la porte. Il m'a fait sursauter, et je sens encore mon cœur battre contre mes côtes.

— On a assez de vampires comme c'est là, crois-moi ! Ha ha ha ! Si j'étais toi, je commencerais par chercher du linge normal. Tu vas en avoir besoin ! Ha ha ha ! Regarde plutôt de l'autre côté.

Je me tourne vers la droite, où je découvre des vêtements plus ordinaires : des jeans neufs, des shorts, des polars, des coupe-vent et des tonnes de tee-shirts… Je prends n'importe quoi sans trop regarder, mais je mets un soin plus attentif à me trouver des chaussures. Je choisis de solides bottes de randonnée et une paire de souliers de sport plus confortables. Me voilà bien équipé, du moins il me semble.

— OK, dit le Nazi. Va porter ça dans ta chambre, puis viens me rejoindre dans la cour. Je te montrerai où sont les autres.

Je monte ranger le tout dans ma commode, et je ne suis pas surpris d'y trouver un nouveau joint. Je m'empresse d'aller le jeter dans les toilettes, puis je sors dans la cour, où le Nazi m'attend.

— Tu vois ce sentier, à droite ? Suis-le et tu retrouveras ton équipe. Ce n'est pas très loin. Tu as encore le temps de courir un peu dans les pneus avant le dîner, petit chanceux ! Ha ha ha ! Si jamais tu pensais ouvrir un garage, ça va te faire changer d'idée ! Ha ha ha !

Le sentier traverse un petit bois. C'est la première fois de ma vie que je vois autant d'arbres en même temps, et de si près. Ceux qui poussent dans ma rue sont aussi maigres que moi, et ils servent surtout de toilettes pour les chiens. Ici, il y en a tellement qu'ils se battent pour aller chercher de la lumière. Ils poussent très haut, comme des colonnes dans une église, et les feuilles forment un vaste plafond vert. Le plus étonnant, c'est tout ce qui pousse au pied de ces arbres. Sur les trottoirs de ma rue, il n'y a que des mégots de cigarettes, des chiques de gomme, des matelas défoncés et des sacs verts éventrés. Ici, il y a plein de fougères et de champignons bizarres, et les pierres sont recouvertes d'une sorte de mousse qui a l'air douce et moelleuse. On aurait envie de se coucher là-dessus et de s'endormir. Ce que je trouve encore plus beau, ce sont les rayons de soleil qui réussissent à se frayer un chemin jusqu'au sol et qui font comme des taches de lumière. J'aurais bien envie de m'arrêter, juste pour me remplir les yeux de ces images, mais j'entends des bruits, tout près.

Encore quelques pas, et j'arrive dans une sorte de clairière, où je reconnais des membres de l'équipe des Trèfles. J'avance vers eux et je comprends rapidement ce qu'est l'activité *pneus* : les pneus en question sont à plat sur le sol, et il s'agit de courir le plus vite possible entre eux sans trébucher. Quand on arrive à la fin du parcours, il faut grimper dans des pneus attachés ensemble et fixés à la verticale sur un mur, puis redescendre en empruntant une espèce de toile d'araignée formée de pneus réunis par de gros câbles. On revient ensuite au point de départ, on s'assoit quelques instants dans l'herbe en attendant que son tour revienne, puis on recommence le circuit. L'activité est supervisée par l'un des quatre gardiens, qui sert d'instructeur. Il a les bras croisés très haut sur sa poitrine, comme s'il essayait d'imiter M. Net – le sourire en moins.

Quand il me voit arriver, il ne m'adresse pas la parole, mais il me fait comprendre d'un simple signe du doigt que je dois m'y mettre tout de suite.

Je cours donc en direction des pneus, plein de bonne volonté.

J'ai déjà vu des soldats s'entraîner de cette manière, dans les films, et je me suis souvent demandé à quoi ça pouvait bien leur servir : apprennent-ils à éviter de marcher sur des mines, ou bien à ne pas trébucher sur les cadavres qui jonchent les champs de bataille ? Je ne connais pas la réponse, mais je sais maintenant que c'est bien plus difficile que ça en a l'air. Je n'ai pas fait trois pas que je tombe de tout mon long sur un des pneus. Je me relève, je reprends ma course et je m'étale de nouveau. Si j'étais dans un champ de mines, j'aurais explosé depuis longtemps !

J'ai déjà des bleus sur les jambes quand j'atteins le mur. J'y grimpe le plus rapidement possible, et ce sont maintenant les muscles de mes bras qui font douloureusement sentir leur présence. Une fois en haut du mur, je dois redescendre par la toile d'araignée, ce qui serait assez facile si les câbles ne bougeaient pas tout le temps...

En un seul parcours, j'ai réussi à me faire des bleus et des bosses sur les bras, les jambes et le visage, et je soupçonne que j'aurai bientôt les mains pleines d'ampoules.

Je rejoins le reste de l'équipe en courant, mais je n'ai pas l'occasion de me reposer. Je dois payer pour mon retard, et l'instructeur me fait passer une fois de plus devant les autres. Je me débrouille un peu mieux la deuxième fois, et encore mieux la troisième. Au quatrième essai, je commence à penser que j'ai enfin trouvé ma vocation et j'ai envie d'aller m'inscrire dans l'armée aussitôt que je serai sorti de ce camp. C'est à ce moment-là que je me coince un pied en haut du mur et que je tombe tête première dans un des pneus de la toile d'araignée, ce qui fait rigoler le reste de mon équipe. Je finis par me dépêtrer et je repars, fouetté dans mon orgueil, pour me coincer de nouveau le pied dans un pneu à la fin du parcours et m'étaler de tout mon long. À bien y penser, je ne suis plus entièrement sûr d'être fait pour l'uniforme…

Encore une fois, ma chute a fait rire mes coéquipiers. C'est un peu humiliant, mais je ne peux pas m'empêcher de penser que ces rires sont rassurants, d'une certaine manière. Depuis que je suis ici, il n'y a que trois personnes qui m'ont adressé la parole : ma psychologue, un Nazi à l'humour douteux et un petit Mohawk carré qui est à moitié fou. Tous les autres semblent vivre dans leur bulle, et cette bulle n'est même pas transparente. Une bulle de ciment, si ça se peut. Je ne sais rien d'eux, ils ne savent rien de moi. Et comme tout le monde fait de gros efforts pour avoir l'air bête, l'atmosphère est plutôt glaciale. En entendant ces rires, j'ai pour la première fois l'impression d'être sur la même longueur d'onde que mes compagnons.

Cette impression ne dure pas longtemps, cependant : l'instructeur me fait signe d'aller m'asseoir dans l'herbe avec les autres pour recouvrer un peu mes esprits, mais personne ne s'intéresse à moi. J'en vois même qui cherchent à s'écarter le plus possible, comme si j'étais atteint d'une maladie contagieuse. J'ai sûrement fait une gaffe, mais laquelle ?

J'observe maintenant le manège des autres gars qui s'élancent à tour de rôle vers les pneus, et je comprends vite mon erreur. Le premier à entreprendre le parcours est bâti comme un athlète, mais il court comme un vieux joggeur de soixante ans. Il ralentit quand il arrive aux pneus et traverse les obstacles en prenant bien son temps. Il grimpe le mur tout aussi tranquillement et il trouve encore le moyen de ralentir pour descendre la toile d'araignée. L'instructeur a pourtant l'air satisfait et il ne lui adresse aucun reproche.

Le gars qui le suit est plutôt rebondi et semble beaucoup moins en forme. Il entreprend lui aussi le parcours à la vitesse d'une tortue épuisée. Encore une fois, l'instructeur ne trouve rien à redire.

Quand mon tour revient, je fais le parcours le plus lentement possible, à la grande satisfaction de tout le monde. Personne ne me félicite, mais personne ne cherche à s'écarter de moi, cette fois-ci. C'est toujours ça de pris.

Au bout d'une demi-heure, je finis par comprendre que même si on les exécute à la vitesse d'un escargot, ces exercices n'en sont pas moins épuisants. Loin d'être des paresseux, mes compagnons, qui ont joué au soccer avant d'aboutir ici, cherchent plutôt à économiser leurs énergies pour une journée qui ne fait que commencer.

Ce que je trouve quand même étrange, c'est que l'instructeur se contente de nous surveiller. Ce que nous faisons ne semble pas important. À quoi ça rime de faire semblant de s'entraîner ?

10
La longue marche

De retour à la cantine, je reprends la place que j'occupais au déjeuner, entre le Hells Angel modèle réduit et la gargouille qui sent la sueur. En face de moi se trouve le type aux revolvers sur le front, encadré par le skin qui a les deux yeux dans le même trou et le gothique aux oreilles décollées. Chacun a le regard rivé sur le bol de métal cabossé qui se trouve devant lui – je crois que ça s'appelle une gamelle. La mienne est vide pour l'instant, mais deux gars circulent entre les tables en poussant un chariot sur lequel se trouvent des marmites. Ils versent à chacun d'entre nous une pleine louche d'une soupe très consistante. Si je comprends bien, cette soupe constituera la totalité du repas : nous n'avons pas d'autre ustensile qu'une cuiller de plastique. J'imagine que les couteaux sont interdits, comme ils l'étaient au centre de détention, de même que tous les ustensiles de métal. Quelqu'un qui dispose d'une meule peut facilement transformer une simple cuiller en arme mortelle. À en juger par l'allure de certains de mes compagnons, cette interdiction est sûrement une très bonne idée.

D'après ce que je comprends en observant ce qui se passe autour de moi, personne n'a le droit de commencer à manger avant que toute la tablée ait été servie. Je contemple donc la soupe qu'on vient de me verser, et je découvre qu'il s'agit plutôt d'un ragoût qui contient de gros cubes de viande, des carottes, des pommes de terre et des haricots. Plus je regarde ce ragoût, plus j'entends des gargouillements dans mon estomac, comme s'il voulait digérer le repas avant même que j'aie pu l'avaler.

Tout le monde est servi, mais personne ne s'est encore attaqué à son assiette.

Deux autres garçons nous distribuent maintenant de grosses tranches de pain de ménage, et deux autres encore remplissent nos verres d'eau glacée.

Ce n'est que lorsque les gars qui assuraient le service s'assoient que nous pouvons enfin commencer. Je prends une première cuillerée de bouillon – délicieux ! – puis je m'attaque à un cube de viande incroyablement tendre et savoureux. Tout cela est bien meilleur que ce que je mange à la maison, ce qui n'est pas très difficile, et même mieux qu'au centre de détention. Je prends ensuite un morceau de carotte, et je m'aperçois que je suis le seul de ma table qui n'a pas encore terminé sa ration. Tous les autres ont englouti leur portion et frottent maintenant leur pain dans leur gamelle pour éponger les moindres molécules de soupe. Leur bol est bientôt aussi propre que s'il avait été léché par un chien. Comme je ne veux pas me faire remarquer de quelque façon que ce soit, je vide mon bol le plus vite possible, ce qui se révèle une excellente idée : ceux qui assuraient le service semblaient n'attendre que ce moment pour remplir de nouveau les gamelles.

J'ingurgite la deuxième assiettée rapidement, de même que la troisième. Après, j'ai la peau du ventre si tendue que je me sens incapable d'avaler une miette de plus.

Je change pourtant d'idée quelques minutes plus tard, quand on me sert un généreux morceau d'un gâteau aux framboises qui semble tout droit sorti du four.

À la fin du repas, j'ai encore une fois changé d'idée : si c'est à cela que ressemble la vie dans les forces armées, je suis prêt à m'enrôler.

Tout le monde a maintenant fini de manger, mais personne ne se lève de table. J'imagine qu'il faut attendre un signal. Ce que je peux faire de mieux d'ici là, c'est d'observer discrètement ce qui se passe autour de moi et d'essayer d'imiter le comportement de mes compagnons. Chacun semble fixer soit sa gamelle, soit un nœud dans le bois de la table, soit sa cuiller de plastique. Je m'aperçois cependant que tout le monde fait comme moi et regarde les autres à la dérobée.

À la table des Piques, j'aperçois une espèce de vampire qui porte une redingote noire et une chemise à jabot de dentelle (je n'ose pas me l'imaginer en train de grimper le mur de pneus avec ça !) et un grand Noir très musclé habillé en kaki, comme un militaire (celui-là, par contre, je peux très bien me l'imaginer en train de traverser une plage sous les bombardements ennemis et de transporter deux de ses camarades blessés sur ses épaules). À ses côtés se trouve un skin qui semble prendre un grand plaisir à arracher un à un les poils de ses bras. Il grimace de douleur chaque fois, puis il lève les yeux au ciel comme s'il atteignait l'extase.

Tous observent un silence religieux, même le Mohawk carré, toujours assis à la table des Cœurs. Je comprends mieux son attitude quand je vois le gars qui est assis devant lui : c'est une sorte de géant difforme qui le regarde avec une telle dose de haine dans les yeux que ça suffirait à intimider n'importe qui. Obligé de se taire, le Mohawk n'en finit pas de se gratter le cou, comme si les mots qu'il a en trop dans la tête voulaient sortir par les pores de sa peau.

Quand une cloche annonce la fin du repas, tout le monde se lève en bloc et se place en rang pour sortir de la cantine.

Nous nous rendons au terrain de soccer, où mon équipe des Trèfles doit affronter les Piques. Un des gardiens musclés se trouve au centre du terrain. Il n'y a personne d'autre que lui pour nous encadrer, mais tous les joueurs semblent savoir quoi faire. Je comprends vite que les positions sont une fois de plus déterminées par les cartes : celui qui a l'as est gardien de but, et les autres se répartissent en trois lignes de quatre joueurs. Personne n'est laissé sur la touche, et les treize joueurs sont sur le terrain en même temps. Ce système des cartes est décidément très utile : tout le monde sait ce qu'il a à faire sans qu'il soit nécessaire de parler. Il n'y a pas de perte de temps.

Notre gardien met le ballon en jeu, et le joueur de centre l'envoie aussitôt dans ma direction. J'en prends le contrôle et je commence à courir. Je déjoue facilement le vampire à jabot de dentelle, puis un autre joueur. Emporté par mon enthousiasme, je cours de plus en plus vite en direction du but adverse, avant de me dire que je suis peut-être en train de commettre une erreur. Ce n'est pas mon talent qui m'a permis de déjouer mes adversaires, ce sont eux, plutôt, qui m'ont laissé passer. Comme je n'ai pas intérêt à me démarquer des autres, je tente une longue passe en direction d'un de mes coéquipiers, et j'arrête ma course pour observer ce qui va arriver. Celui à qui j'ai envoyé le ballon ne fait aucun effort pour s'en emparer – il semble même ralentir un peu pour ne pas avoir à l'attraper. Le ballon se trouve aux pieds du grand Noir que j'ai remarqué au dîner. Bâti comme il l'est, ce gars-là serait du genre à pouvoir marquer un but depuis le milieu du terrain, mais il se contente de botter mollement le ballon en touche.

Mon hypothèse est confirmée : tout le monde cherche à se fatiguer le moins possible, comme ce matin, et je serais le dernier des imbéciles si je n'en faisais pas autant.

Le match ne dure qu'une heure, au cours de laquelle personne ne s'épuise à la tâche. Le plus difficile, en fait, est de rester debout aussi longtemps en plein soleil et de digérer le dîner.

Nous passons ensuite par nos chambres pour enfiler des bottes de randonnée, puis nous empruntons à la file indienne un sentier qui s'enfonce dans la forêt avant d'aboutir dans une petite clairière. Là, un autre gardien musclé surveille une lourde bâche de toile. À notre arrivée, il soulève la bâche, sous laquelle s'empilent des sacs à dos.

À en juger par leur allure, ces sacs doivent dater de la Deuxième Guerre mondiale, sinon d'il y a plus longtemps encore. J'imagine qu'ils ont été utilisés pour l'entraînement de l'armée. Comme chacun d'eux est identifié par une carte à jouer dessinée grossièrement au crayon feutre, je n'ai pas à me creuser la tête trop longtemps pour savoir ce que j'ai à faire.

Je ne sais pas si les autres sacs sont comme le mien, mais celui-ci me semble très lourd. On l'aurait bourré de cailloux ou de sable que ça ne m'étonnerait pas. Je dois faire attention de ne pas le mettre trop vite sur mes épaules, car son poids risquerait de m'entraîner. Je n'ai aucune envie de me ramasser par terre !

Une fois le sac bien placé sur mon dos, cependant, son poids me paraît raisonnable.

Quand tout le monde est prêt, nous nous plaçons de nouveau en file indienne et nous nous engageons dans un sentier étroit et accidenté. Si nous marchons lentement, cette fois, ce n'est pas par désir d'en faire le moins possible, mais parce qu'il n'y a pas moyen de faire autrement. La piste est si escarpée que mon cœur pompe à toute allure et que mes vêtements sont trempés de sueur. Je dois bien regarder où je mets les pieds, sans quoi je risque de trébucher sur une racine ou une roche, ou encore de glisser dans une flaque de boue et de me casser la gueule.

C'est la première fois que je grimpe ainsi dans un sentier de montagne, et je n'aurais jamais cru que ce serait aussi exténuant.

Plus nous approchons du sommet, plus les arbres sont petits et tordus, semblables à des nains difformes. Comme je n'ai pas de montre, il m'est difficile d'évaluer le temps que nous mettons à atteindre le sommet, mais je dirais que nous avons marché pendant au moins une heure lorsque nous déposons enfin nos sacs sur un pic rocheux. Je m'aperçois alors que nous ne sommes pas arrivés à la fin du parcours, comme je le croyais : nous allons bientôt devoir descendre, puis grimper en direction d'un autre sommet, au moins deux fois plus haut que celui-ci. J'aurais vraiment été stupide de m'épuiser à jouer au soccer avant d'entreprendre cette expédition !

Lorsque nous arrivons au deuxième sommet, nous faisons une nouvelle pause. Le gardien se déleste de son sac et le dépose devant lui avec une telle facilité que je ne sais trop que penser : ou bien ce type est dix fois plus fort que moi, ou bien son sac contient des plumes plutôt que des pierres.

La vérité se situe quelque part entre les deux : son sac ne contenait pas des pierres mais des cartons de jus de fruits et des biscuits très consistants, bourrés de raisins, de dattes et d'arachides. J'ai eu beau manger comme un cochon à l'heure du midi, je dévore mon biscuit jusqu'à la dernière miette, et je ne laisse pas une seule goutte de jus au fond du carton.

Il y a une épaisse forêt autour de la montagne où nous nous trouvons, de même que quelques lacs, mais je vois aussi des champs cultivés et des bâtiments de ferme, au loin, ainsi qu'un village. Il y a donc de la civilisation tout autour de nous, et quelqu'un qui s'enfoncerait dans la forêt ne risquerait pas de s'y perdre à jamais. C'est toujours bon à savoir. J'aperçois aussi, à quelques mètres de nous, une structure en bois qui fait comme une plate-forme au-dessus du vide. Je me demande comment on a pu transporter ce bois jusqu'ici, et à quoi peut servir cette plate-forme.

Mais le plus intrigant, ce sont ces sacs à nos pieds, que personne n'a ouverts. Que peuvent-ils bien contenir? Comme ils sont fermés par de solides courroies de cuir et de nombreux cordons noués de façon inextricable, il n'y a pas moyen de le savoir.

Le moment est maintenant venu de repartir. Chacun arrime son sac sur ses épaules et reprend sa place dans la file indienne pour emprunter le même chemin, mais dans l'autre sens.

Au début, je me dis que ce sera plus facile de descendre que de monter, mais je change vite d'idée: si le cœur pompe moins, les genoux, en revanche, en prennent un coup, et c'est dur pour les tibias!

Le parcours se fait quand même plus rapidement dans ce sens, et nous arrivons bientôt à la clairière d'où nous sommes partis. Nous déposons nos sacs là où nous les avons pris, le gardien les recouvre de leur bâche, et je ne sais toujours pas ce qu'ils contiennent, ni la raison pour laquelle on nous les a fait transporter. Le but de l'opération est-il vraiment de nous débarrasser de nos toxines mentales, comme dirait Véronica? Ça me semble difficile à croire. J'ai de plus en plus l'impression qu'on veut nous entraîner dans un but précis, mais lequel?

De retour à l'école, nous prenons une douche (quel bonheur!), et le soir est presque tombé lorsque nous nous rendons à la cantine pour le souper. Nous avons droit à une immense portion de lasagne accompagnée d'une salade verte, de même qu'à une salade de fruits et à quelques biscuits pour dessert. Inutile de dire que nous engouffrons le tout sans rien laisser dans nos assiettes.

La journée se termine une fois de plus autour du feu de camp. Les gardiens se tiennent à l'écart et parlent entre eux à voix basse tout en buvant quelques bières.

Comme la veille, les gars s'allument un joint dès qu'ils ont posé leurs fesses sur une pierre. Il y a bientôt plus de fumée autour du feu qu'au-dessus de celui-ci. Si j'en juge par leurs réactions, mes camarades ne fument certainement pas du persil : ils fixent les flammes avec des yeux exorbités, et la plupart finissent par tomber endormis aussitôt leur joint terminé.

Le Mohawk fume lui aussi, à sa manière si particulière : il prend une bouffée, se gonfle les joues comme un trompettiste, garde la fumée le plus longtemps possible, puis l'expire d'un seul coup. Peut-être cherche-t-il à envoyer des signaux de fumée, sait-on jamais... La substance semble avoir le même effet, en tout cas : au bout de cinq ou six bouffées, il s'étend sur le côté et ne bouge plus. Le voici dans le coma, comme la plupart des autres.

Moi qui m'étais promis de ne pas me démarquer de mon groupe, je suis le seul à ne pas me défoncer. Ce n'est pas très brillant de ma part. Peut-être aurais-je dû conserver le joint dont je me suis débarrassé ce matin et faire semblant de le fumer ? Plus j'y pense, plus je me dis que j'en serais incapable, de toute façon : la simple idée de mettre quelque cigarette que ce soit dans ma bouche me répugne.

Je décide de me lever et de me diriger vers l'école. Je m'attarderai dans les toilettes quelques instants, et je reviendrai un peu plus tard en marchant comme un zombie.

Avec de la chance, les autres s'imagineront que je suis allé fumer mon joint à l'intérieur. Je suis tellement courbaturé par la marche en montagne que j'ai du mal à me relever et à marcher droit jusqu'à l'école. Peut-être que je n'aurai pas besoin de jouer la comédie, à bien y penser : j'ai déjà l'air défoncé.

Je vais aux toilettes, puis je me dirige vers ma chambre avec l'idée de regarder dans mon tiroir au cas où j'y trouverais un autre joint. J'ouvre la porte, je la referme derrière moi, et je vois mon lit, si invitant. Peut-être que je pourrais m'y étendre quelques instants, pour me reposer un peu...

11
Excursion sur un volcan

Je me réveille en sursaut au son de la grosse cloche métallique. Depuis combien de temps sonne-t-elle ? Comment se fait-il que je sois couché dans mon lit, par-dessus les couvertures, encore tout habillé ? Les nappes de brouillard se dissipent dans mon cerveau, et je me souviens petit à petit des événements de la veille : la course à travers les pneus, la marche en montagne avec un sac de pierres sur le dos, le feu de camp, la fatigue, et ce foutu nœud dans mon lacet dont je ne suis pas venu à bout… J'ai fini par m'écraser sur mon lit, et j'ai dormi comme une bûche.

Je m'attaque à mes lacets sans perdre un instant : j'entends déjà des bruits de pas dans le corridor, et je ne voudrais surtout pas rater le déjeuner. Je réussis à défaire le nœud sans trop de difficulté, je me change en vitesse, je passe par les toilettes et je me rends vite compte que j'ai eu tort de me presser à ce point : je suis un des premiers arrivés à la cantine.

C'est encore le Nazi qui nous reçoit. Il n'a pas l'air bavard, pour une fois, et c'est tant mieux. Je n'ai vraiment pas besoin de son humour douteux. Il me tend un jeu de cartes et je pige le cinq de cœur. Je ne serai donc pas le premier de la file, et je n'aurai pas non plus à laver la vaisselle. Quelque part au milieu, c'est parfait pour moi : il y a tellement de choses que je ne comprends pas encore dans ce camp qu'il vaut mieux me faire discret.

Je me trouve assis entre le Mohawk et un gars encore plus petit, que je n'avais jamais remarqué. Je jette un premier coup d'œil vers lui, mine de rien, et je me dis qu'il a l'air d'un homme-couleuvre. Je le regarde une deuxième fois, intrigué, et je m'aperçois que ce n'est pas pour rien que cette idée m'a traversé l'esprit : mon compagnon de droite est en effet mince comme un serpent et il s'est fait tatouer des écailles sur les bras et dans le cou. Je ne sais pas s'il se prend vraiment pour un serpent, mais il marche en ondulant pour aller chercher son déjeuner. Quand nous revenons à table, je n'ose pas le regarder manger ses céréales, de peur de voir sortir de sa bouche une longue langue fourchue.

À ma gauche, le Mohawk se tient tranquille. Il ne dit pas un mot, mais il ne semble pas pour autant agité de ses affreux tics. Peut-être que son syndrome n'est pas encore réveillé, ou peut-être qu'il est encore anesthésié par tout ce qu'il a fumé hier soir, je ne sais pas trop, et ça ne me regarde pas. Pour le moment, je me contente d'absorber un maximum de calories. Si la journée qui commence ressemble à celle d'hier, j'ai intérêt à me faire des réserves de carburant.

Après le déjeuner, je me dirige vers la cour, comme tout le monde, et je vais directement consulter le tableau qui indique le déroulement des activités. La matinée risque d'être dure : à huit heures, les Cœurs et les Piques doivent faire de l'*hatlétisme* (peut-être est-ce un mélange d'haltérophilie et d'athlétisme ?) ; à neuf heures trente, nous aurons droit à l'activité « sacs » (encore !). L'après-midi s'annonce heureusement plus relax : il y aura un autre match de soccer, puis nous irons au lac.

En soirée, les Piques et les Carreaux feront une sortie. Je me demande de quoi il s'agit. On ne nous emmène sûrement pas aux glissades d'eau ou dans un golf miniature… Hier soir, une seule équipe avait droit à une sortie; ce soir, il y en a deux. Mon tour va bien finir par arriver, un jour ou l'autre.

Quand notre groupe se met en rang pour aller au terrain d'athlétisme, je remarque que quatre gars se dirigent plutôt vers l'école. Peut-être ont-ils rendez-vous avec Véronica, eux aussi… Mais elle ne doit pas être la seule psychologue, à bien y penser : ce serait impossible pour elle de rencontrer autant de personnes pendant une heure deux fois par semaine…

Au moment où nous partons, une petite automobile se stationne dans la cour. Je vois Véronica en sortir, suivie de deux femmes qui semblent tout aussi jeunes qu'elle, et d'un homme aux cheveux longs qui n'a pas l'air très vieux lui non plus. Si Véronica ressemble toujours à une star de cinéma, les autres sont plus conformes à l'idée que je me fais de psychologues frais émoulus de l'université. C'est tout juste s'ils n'ont pas leur diplôme étampé sur le front. Me voilà donc fixé : il y a au moins quatre psychologues, et c'est la mienne qui est la plus sexy.

Mon groupe emprunte un nouveau sentier dans la forêt, qui nous conduit rapidement à un terrain plat sur lequel se trouve un anneau de course, de même que des terrains aménagés pour les sauts en hauteur et en longueur.

Nous commençons par le saut en longueur. L'épreuve se révèle facile et même presque agréable : comme chacun prend bien son temps pour chaque saut, notre tour ne revient pas trop vite.

Au saut en hauteur, c'est encore mieux : même si la barre n'est pas fixée trop haut, tout le monde ou presque réussit à la faire tomber. Il faut donc la remettre en place chaque fois, lentement, très lentement… Certains gars se révèlent d'excellents comédiens et feignent d'être légèrement blessés, ce qui permet aux autres de se reposer encore davantage. J'apprécie de plus en plus cette solidarité silencieuse.

Notre gardien ne semble pas s'attendre à de grandes performances de notre part. Il est même très tolérant. Du moment que nous simulons la maladresse de façon à peu près convaincante, il nous laisse aller à notre rythme. Je me demande quand même à quoi ça rime de nous occuper de cette manière. Pourquoi ne nous laisse-t-on pas libres, tant qu'à faire ? À peine me suis-je posé la question que je trouve la réponse par moi-même : nous sommes bien plus faciles à contrôler quand nous faisons du sport.

Je me dirige vers la piste de course en me promettant de courir le plus lentement possible, quelle que soit la distance à parcourir, mais une mauvaise surprise m'y attend. Je dirais même une très mauvaise surprise : on y a installé des obstacles. C'est peut-être facile de courir lentement, mais essayez donc de sauter lentement par-dessus un chevalet…

— Pas de tricheurs, cette fois-ci, prévient le gardien. Le premier qui fait tomber un obstacle aura affaire à moi.

Il a parlé à voix basse, mais tout le monde a très bien saisi le message. Quand on n'entend qu'une phrase par jour, il est difficile de ne pas lui donner toute l'attention qu'elle mérite.

Les obstacles ne sont heureusement pas très hauts, et nous passons tous l'épreuve sans trop de mal. Le Mohawk réussit à m'étonner dans cette épreuve : malgré sa petite taille, il bondit comme un chevreuil.

Nous pouvons maintenant passer par nos chambres pour y chercher nos bottes de randonnée. Les quatre gars qui nous ont quittés ce matin en profitent pour se joindre à nous, tandis que quatre autres se dirigent vers l'aile des psys.

Une fois dans ma chambre, j'ouvre le dernier tiroir de ma commode, machinalement, et je mets le joint qui s'y trouve dans ma poche. Peut-être que ça pourra me servir de monnaie d'échange, d'une façon ou d'une autre.

Je me dirige ensuite vers la clairière avec mon groupe, et je découvre avec bonheur que mon sac est nettement plus léger que celui de la veille. J'ignore toujours ce que je transporte, mais ce ne sont sûrement pas des pierres ou des poches de sable. Le sac me semble plutôt mou, comme s'il était bourré de guenilles. Une fois de plus, il est si bien fermé qu'il n'y a pas moyen de vérifier ce qu'il contient.

Nous grimpons par le même sentier qu'hier, et les premières minutes sont franchement pénibles. Tous mes muscles me font souffrir, toutes mes articulations semblent manquer d'huile. Au bout d'un moment, cependant, on dirait qu'un produit magique s'est dilué dans mon organisme pour que tous les éléments de mon corps s'emboîtent correctement. Nous marchons d'un pas lent mais régulier, et mon cœur semble l'apprécier : je le sens battre dans ma poitrine, mais

125

il fait son travail comme il le faut, sans s'emballer. Peut-être que je vais finir par apprécier cette activité, qui sait ? Je découvre en tout cas que j'aime qu'il y ait de l'air et de l'espace au-dessus de ma tête. Je ne veux plus jamais retourner au centre de détention, et encore moins dans le logement de ma mère.

— Ô pic à pic à pic ! Ô pic à pic à pic, marche marche ! Ô pic à pic à pic à pic, marche marche ! Monter, toujours monter, monter, toujours monter...

On dirait que le syndrome de mon ami le Mohawk vient de se réveiller. On dirait même qu'il est parti pour y aller à fond de train, trop heureux de libérer enfin son trop-plein de paroles. Tant mieux, ça me fera de la distraction. Comme il est tout juste derrière moi, je ne manquerai rien de ses élucubrations.

— Monter, monter, toujours monter, ô pic à pic à pic ! Ô hisse ! Et qu'est-ce qu'on va voir quand on sera arrivés en haut ? Je vais vous le dire, moi, ce qu'on va voir, on va tomber dans le cratère du volcan, le volcan des requins, ô pic à pic à pic ! Ô hisse ! Ô pic à pic à pic, ô pic à pic à pic, ô hisse, pic à pic.

Il est vraiment inspiré, ce matin : s'il parlait plus vite, ça pourrait ressembler à un rap. Le rap du requin mohawk…

— Monter, monter, monter, toujours monter, plop plop, ô pic à pic à pic, plop, plop, un arbre, deux arbres, trois arbres. Écoute-moi bien, *man*, écoute-moi bien comme il faut. Ô pic à pic à pic, quatre, cinq, six arbres, on continue de monter, monter, monter, ça monte trop, ça me donne le hoquet… Tu es le seul ici à ne pas fumer, et ça se voit. Si je m'en suis aperçu, *tout le monde* peut s'en apercevoir. Ce n'est pas dans ton intérêt, crois-moi… Ô pic à pic à pic, sept, huit, neuf arbres, ô pic à pic à pic, Pacman à papa, pape à papou, pac pac pacman, pac pac pac, pacman… Si tu comprends ce que je dis, fais semblant de trébucher… Plop, plop, tout le monde fait plop plop dans le volcan, c'est salissant, ô pic à pic…

Il n'y a aucune confusion possible : ce gars-là est aussi sain d'esprit que moi. Son syndrome de la Tourette est probablement juste un truc qu'il a trouvé pour contourner l'interdiction de parler. Je fais semblant de trébucher, ce qui me permet du même coup de me laisser distancer par le gars qui me précède, et le Mohawk reprend son drôle de discours.

À présent, je suis absolument certain qu'il ne s'adresse qu'à moi.

— Ô pic à pic, ô destin clandestin, ô montagnes enneigées qu'il faut toujours grimper ! Tu as intérêt à ne pas te faire remarquer, *man*, ces gens-là sont vraiment dangereux. Si tu ne veux pas fumer leur cochonnerie, fais comme moi : trouve-toi des feuilles séchées dans le bois, et fume-les. Ils ne s'apercevront de rien. Ô plic à plic, ô gouttes de ploucs qui me dégoûtent, ô circonflexe circonférence complexe… Je fais le con, mais je ne suis pas con, *man*. On finira bien par faire une sortie ensemble un de ces soirs, et on parlera plus sérieusement. En attendant, sois prudent, *man*, sois prudent et ne te fais surtout pas remarquer. Si tu as compris, fais encore semblant de trébucher.

— Ta gueule !

L'injonction est venue du gardien qui ferme la marche. Je me tourne vers lui, et je le vois mettre la main à sa ceinture, où se trouve son *Taser*. Pouvait-il entendre ce que me disait le Mohawk ? Ça m'étonnerait : les messages importants étaient prononcés à

128

voix très basse, et il y a six ou sept gars entre lui et nous.

Pour bien signaler au Mohawk que je l'ai compris, je fais encore semblant de trébucher, comme il me l'a demandé. Je le fais même un peu trop bien, et je me retrouve les quatre fers en l'air dans les fougères. Espérons que ça changera l'humeur du gardien : s'il fallait que le Mohawk reçoive une décharge électrique par ma faute, je ne me le pardonnerais pas. Il a pris des risques en s'adressant à moi de cette manière, et je lui en suis reconnaissant.

Je reprends ma marche en pensant à ce que je viens d'entendre. *Ces gens-là sont vraiment dangereux*, a dit le Mohawk. Dois-je le croire sur parole ? Peut-être qu'il est un peu parano sur les bords. Et de qui parle-t-il au juste ? Les gardiens ont sans doute l'air de bandits, mais les psys ont vraiment l'air de psys. Sont-ils dangereux, eux aussi ? À qui puis-je me fier ?

✦ ✦ ✦

Le reste de la journée se déroule sans surprise. Le dîner est toujours aussi copieux, et le match de soccer aussi relax que celui de la veille.

En fin d'après-midi, nous nous retrouvons tous au lac, où on nous accorde le droit de nous baigner dans une sorte d'enclos délimité par des cordes et des bouées. Comme c'est la première fois que je me baigne dans un lac, je m'y avance d'un pas prudent. C'est bien plus agréable que je ne l'aurais cru : le fond est en sable très doux, et l'eau, quoique froide, s'avère vivifiante. Je ne sens bientôt plus mes jambes qui, il y a quelques instants à peine, étaient pourtant endolories par la marche en montagne. S'immerger dans l'eau, c'est un peu comme un remède qu'on prendrait par l'extérieur du corps.

La plupart des gars font comme moi : ils se contentent d'avancer très lentement jusqu'à ce que l'eau leur arrive à la taille, puis ils restent là sans rien faire en attendant que l'activité se termine. La natation n'est pourtant pas interdite, puisque quelques-uns s'en donnent à cœur joie, tout en demeurant à l'intérieur des limites marquées par les câbles. Le Mohawk fait partie du nombre, et il m'étonne encore une fois par son énergie.

J'essaie de nager, moi aussi, en imitant leurs mouvements, mais je ne réussis qu'à avaler quelques litres d'eau. Je décide donc de rester debout en attendant que le temps passe.

Quelqu'un qui nous observerait depuis la plage serait sans doute étonné par le curieux spectacle que nous offrons : nous sommes là, immobiles comme des statues sans jambes. Nos têtes de skins, de punks ou de gothiques semblent avoir été vissées sur les mauvais corps : nos torses sont chétifs, nos côtes saillantes, nos bras malingres, nos peaux blafardes, nos lèvres bleues. Mais rhabillez-nous et faites-nous marcher dans les rues d'une ville, à la nuit tombée : la plupart des adultes sentiront des sueurs froides leur couler dans le dos et ils auront vite l'idée de changer de trottoir...

Le soir venu, autour du feu de camp, tout le monde fume son joint, comme d'habitude. Quelques bouffées, et les gars semblent tomber dans un coma profond.

J'observe le Mohawk à la dérobée. Il fait le même numéro que d'habitude : il se gonfle les joues et ouvre grand les yeux comme un vieux musicien de jazz que j'ai vu une fois à la télévision, puis il s'écrase sur le côté à son tour. Ce gars-là est vraiment un excellent comédien.

Je sors de ma poche le joint que j'ai pris ce matin et je le glisse entre mes lèvres, déterminé à faire semblant de le fumer. Je vais chercher dans le feu une brindille embrasée qui me servira de briquet, mais, au dernier moment, je renonce à m'en servir. Je ne veux pas consommer de cette cochonnerie, jamais, pas même pour faire semblant.

Je jette plutôt mon joint dans le feu, sans rien faire pour dissimuler mon geste, puis je regagne ma chambre, prêt à en subir les conséquences.

12
Sherpa

— Je te rappelle que je suis ici pour t'aider, Max, dit Véronica en croisant ses longues jambes. Avant de cheminer plus avant dans notre démarche, je dois d'abord te poser quelques questions à propos de ton adaptation à notre camp. Ce sont de pures formalités. Comment trouves-tu la nourriture ?

— C'est ce que j'ai mangé de mieux depuis longtemps.

— Est-ce que tu t'impliques dans les activités physiques, comme je te l'ai recommandé ?

— Je fais tout ce que je peux…

— Ta chambre te convient ?

— Aucun problème.

— Est-ce que l'obligation du silence te pèse ?

— Moins que je ne l'aurais cru. Je me suis habitué.

— C'est bien. As-tu déjà torturé des animaux ?

— … Pourquoi est-ce que j'aurais fait ça ?

— Certaines personnes y trouvent du plaisir. Tu n'as jamais tué de chat, fait exploser une grenouille, arraché les pattes d'une sauterelle, tiré sur un pigeon avec une carabine à plombs ?

— Tout ce que j'ai tué, c'est des rats. Il y en avait souvent, chez nous. Je laissais du poison sous l'évier de la salle de bain. Le matin, il m'est arrivé d'en trouver deux ou trois. Une fois, j'ai en trouvé un qui était presque aussi gros qu'un chat.

— Qu'est-ce que ça te faisait, quand tu les trouvais morts ?

— Rien du tout. Je les prenais par la queue et j'allais les jeter dans la ruelle, c'est tout.

Véronica coche les cases de son questionnaire, et elle me semble une fois de plus déçue par mes réponses. Je ne suis pas psychopathe, madame la psy. Désolé de vous décevoir.

— Bon… Laisse-moi seulement te rappeler que la première étape du processus de guérison, c'est de reconnaître ses problèmes. Persistes-tu à dire que tu n'as jamais consommé de drogues, Max ?

Décidément, c'est une obsession ! Pourquoi tient-elle absolument à me faire avouer que je suis un junkie ?

Je regarde mes pieds, puis le plancher, puis le mur derrière elle, puis la fenêtre, mais plus j'essaie d'éviter son regard, plus je me sens coincé. Elle semble déterminée à ne pas me croire, et je ne vois toujours pas l'intérêt de mentir pour lui faire plaisir. Je me souviens en même temps des recommandations du Mohawk : *Attention, ces gens-là sont vraiment dangereux…* Véronica fait-elle partie de *ces gens-là* ? Elle est la seule à qui je peux parler, et je ne pourrais pas lui faire confiance ?

Ne trouvant pas de réponse satisfaisante, je laisse le silence s'étirer, mais je me sens mal à l'aise, surtout que je ne peux pas m'empêcher de regarder le chandail de Véronica. Ça ne m'aide pas à m'éclaircir les idées, bien au contraire.

— Dis-moi ce qui te passe par la tête, Max.

A-t-elle surpris mon regard ? Vite, penser à autre chose…

C'est à ce moment-là qu'une idée fulgurante traverse mon esprit.

— Est-ce que je peux vous raconter une histoire ?

— … Pourquoi pas ?

— Je vais vous raconter l'histoire de Sherpa. C'était le nom de mon chien. Je l'ai appelé comme ça parce que, la première fois que je l'ai vu, il était dans une boîte à chaussures avec *Sherpa* écrit dessus. Je pense que c'est une marque de bottes de ski. Dans le dictionnaire, j'ai appris que c'est le nom qu'on donne aux guides, dans l'Himalaya. Je trouvais que c'était un beau nom pour un chien. C'est un des amis de ma mère qui me l'avait donné pour mon douzième anniversaire. J'ai tout oublié des amis de ma mère, mais celui-là, je ne l'oublierai jamais. Il s'appelait Chris. Je pense qu'il voulait vraiment aider ma mère à s'en sortir, mais comme ma mère ne s'aidait pas tellement elle-même, il a fini par laisser tomber. Il m'a quand même donné un chien, avant de partir. Ma mère avait toujours dit qu'il n'y aurait jamais de chien ni de chat dans sa maison, même pas de hamster ni de poisson rouge, mais comme elle avait un peu honte d'avoir oublié que c'était mon anniversaire, elle a dit d'accord, garde-le, ton crisse de chien, mais *si tu penses* que je vais le nourrir et nettoyer ses dégâts… Ça, je dois dire que je m'en doutais un peu. C'était moi qui m'en occupais, avec l'argent que je gagnais en faisant des commissions.

— Tu veux parler des livraisons?

— Non. Je vous parle d'avant les livraisons. Quand des amis de ma mère venaient à la maison, ils me donnaient souvent de l'argent pour que j'aille leur acheter des cigarettes au coin de la rue, et ils me disaient toujours de bien prendre mon temps. Quand je revenais, une heure plus tard, je ne rapportais jamais de cigarettes. Personne n'a le droit d'en vendre à des mineurs. Certains me traitaient d'imbécile et reprenaient leur argent, mais la plupart oubliaient de le reprendre. C'était une sorte de pourboire qu'ils me donnaient pour me remercier de les avoir laissés tranquilles. C'est avec cet argent-là que je pouvais acheter de la nourriture pour mon chien. Sherpa était un petit chien jaune avec les pattes par en dedans et la queue croche. Je ne peux même pas dire à quelle race il ressemblait, mais je peux vous dire qu'il m'aimait, et que je l'aimais au moins autant. Juste d'entendre son nom, il était fou comme un balai. Quand je l'emmenais au parc, il était tellement heureux que j'avais peur qu'il meure de bonheur. Je pouvais lui lancer un bâton cent fois de suite, il me le rapportait sans se fatiguer. Je lui ai appris d'autres trucs aussi : il pouvait faire le mort, il donnait la patte, je pouvais même lui mettre un biscuit en équilibre sur le nez et il n'avait pas le droit de le manger tant que je ne lui en donnais pas le signal. C'était un bon chien. Mais je n'ai pas pu le garder longtemps à cause des amis de ma mère. À jeun, la plupart étaient gentils avec Sherpa : ils le flattaient, ils riaient quand je lui faisais faire des tours, tout allait bien. Le problème, c'est qu'ils buvaient tous comme des trous et qu'ils voulaient que tout le monde soit aussi saoul qu'eux. Ils appelaient ça *être sur le party*. Quand ils étaient sur le party, ils s'amusaient comme ils pouvaient. Et puisqu'il n'y avait pas grand-chose à faire dans l'appartement de ma mère, ils finissaient toujours par mettre de la bière dans l'écuelle de Sherpa. C'était supposé être très drôle. Sherpa n'aimait pas la bière, mais il était glouton, comme tous les chiens. Quand il ne voulait pas boire, ils lui faisaient avaler le plus de sel possible, pour qu'il ait bien soif. Après ça, il aurait bu n'importe quoi. Chaque fois que Sherpa buvait, il devenait malade. Il marchait en zigzag, il tombait sur le

138

côté et il finissait par aller se coucher sous la table en mettant ses pattes devant ses yeux, comme si ça pouvait empêcher le monde de tourner autour de lui. On aurait dit qu'il pleurait, comme s'il avait honte. Quand je voyais ça, j'avais envie de me sauver le plus loin possible et d'emmener Sherpa avec moi, mais où est-ce que j'aurais pu aller ? Un garçon de douze ans qui se promène dans la rue passé minuit finit par se faire embarquer par la police. Ça ne m'aurait pas dérangé de passer la nuit dans une cellule, mais Sherpa, lui, aurait sûrement abouti à la SPCA. Peut-être même qu'ils l'auraient tué, comme ils le font pour les chiens sans collier. Il y a un mot pour ça… C'est quoi, déjà ?

— L'euthanasie ?

— L'euthanasie, c'est ça. Je ne voulais surtout pas que ça lui arrive parce que ce n'était pas sa faute si les amis de ma mère étaient des imbéciles… Un jour, j'ai regardé mon chien dans les yeux et je lui ai promis que je ne boirais jamais d'alcool. Jamais. Pas un verre, rien. Si ce n'est pas bon pour les chiens et si ça donne aux humains le goût d'*être sur le party*, je me suis dit que je ne perdrais pas grand-chose à m'en passer.

— Tu as tenu parole ? me demande Véronica, qui a maintenant posé son crayon et qui me regarde en écarquillant les yeux.

Je peux me tromper, mais j'ai l'impression qu'il y a de l'émotion dans sa voix. C'est comme si elle avait manqué de salive, tout à coup. Peut-être qu'elle va finir par me croire.

— J'ai tenu parole, oui. J'ai sûrement absorbé malgré moi bien des fumées secondaires, comme je vous l'ai déjà dit, mais pour me faire boire, il aurait fallu que quelqu'un m'attache et qu'il me verse l'alcool dans la gorge au moyen d'un entonnoir. Est-ce que je peux raconter la fin de mon histoire ?

— Je t'écoute, Max…

— C'est quand ils ont commencé à donner leur cochonnerie de dope à mon chien que j'ai décidé de m'en débarrasser. Ils mettaient du hasch dans sa viande, ils lui soufflaient de la fumée dans les narines, c'était vraiment dégueulasse. J'aurais préféré voir mourir mon chien plutôt que de lui faire subir cette vie-là. Un bon samedi matin, je suis parti avec lui et j'ai marché pendant une heure pour l'emmener dans un quartier riche de la ville. Là, il y avait un parc pour les chiens, un enclos où on a le droit de les laisser courir. J'ai abandonné mon chien là-bas, et je suis parti en courant. J'espérais qu'il se fasse adopter par une famille riche, mais ce n'est pas ce qui s'est passé. Trois jours plus tard, Sherpa était devant ma porte. Je n'ai jamais su comment il avait retrouvé son chemin. Il ne pouvait quand même pas demander des renseignements, ni lire des plans… Il paraît que les chiens ont un odorat quarante fois plus développé que le nôtre, mais ils ne peuvent quand même pas sentir l'odeur d'une maison en pleine ville, non ? Au début, je ne le croyais pas, je me disais que c'était un autre chien qui ressemblait à Sherpa, mais c'était bel et bien lui qui était revenu dans cet appartement où les gens le maltraitaient. J'ai pleuré longtemps, cette nuit-là, et je ne sais pas si c'était à cause de Sherpa qui avait traversé la ville pour me retrouver ou parce que je devais imaginer un nouveau moyen pour me débarrasser de lui. Ce serait deux fois plus difficile parce que je l'aimais deux fois plus qu'avant, si ça se peut. Je pleurais pour lui, et c'est lui qui léchait mes larmes. Le samedi suivant, j'ai eu une meilleure idée. J'ai marché jusqu'à la gare de triage des trains, et j'ai fait monter Sherpa dans un wagon du Canadien Pacifique. Je lui ai mis un plein sac de nourriture sèche et une vieille ser-

141

viette de bain imbibée d'eau, pour qu'il puisse tenir le coup pendant quelques jours. Ensuite, je suis rentré chez moi et j'ai pleuré encore un bon coup. Je n'ai jamais dit à ma mère comment Sherpa avait disparu, et elle ne m'en a jamais parlé. Je ne sais même pas si elle s'est aperçue de son absence. Moi, en tout cas, je m'en suis aperçu. Il ne se passe pas un jour sans que je pense à lui. Peut-être qu'il est mort, et peut-être que c'est mieux comme ça. Peut-être aussi qu'il est vivant, et qu'il est aussi heureux qu'un chien peut l'être. Ce que j'aimerais vraiment beaucoup, c'est que le train l'ait emmené jusqu'à Vancouver. Je rêve qu'il est au bord du Pacifique et qu'il a été adopté par un punk qui fait du squeegee. Ces gars-là font peur à bien du monde, mais ils sont corrects avec leurs chiens. Ce serait parfait pour Sherpa, et ce serait parfait aussi pour le punk : Sherpa est un bon chien. Un très bon chien. Pensez-vous que ça se peut, ou bien est-ce que c'est juste un rêve ?

— Je pense que ça se peut, et que c'est un beau rêve, Max. Un très beau rêve…

Véronica semble manquer de salive, une fois de plus, et sa voix est un peu cassée.

— Me croyez-vous, maintenant, quand je vous dis que je n'ai jamais rien fumé, du moins volontairement ? Je l'ai promis à Sherpa avant de le faire monter dans le train, et j'ai tenu parole.

— Je te crois, Max, et je t'avoue que je suis un peu embêtée : j'ai reçu une formation pour aider les jeunes à régler leurs problèmes de dépendance, mais tu n'en as vraiment pas besoin…

— On peut quand même continuer à parler, non ?

— Bien sûr. Écoute, je vais consulter mon superviseur, et on verra ensemble ce qui serait le mieux pour toi. Tu n'as peut-être pas de problème de dépendance, mais ça ne veut pas dire que la thérapie est inutile. Il serait étonnant que ton histoire familiale n'ait pas laissé de séquelles… Quoi qu'il en soit, je t'annonce que ton costume sera prêt pour ce soir. Il ne reste plus que quelques retouches à apporter, et ce sera parfait. Je l'ai créé moi-même et j'en suis vraiment très fière. Je verrai à ce qu'on le dépose dans ta chambre pendant ta période libre, cet après-midi. Tu l'auras pour ta première sortie.

— Où est-ce qu'on nous emmène, au juste ? Pourquoi est-ce que j'aurai besoin d'un costume ?

— Ce n'est rien de très compliqué, tu verras, et ça peut t'aider à découvrir la partie d'ombre que tu portes en toi. Il faut maintenant que tu ailles rejoindre les autres, Max. Notre temps est écoulé. Est-ce que je peux te dire quelque chose de… de personnel ?

— Bien sûr…

— Je ne peux rien présumer de la suite des événements. Il est possible que mon superviseur décide que nous poursuivions la thérapie, mais peut-être aussi qu'il proposera une autre démarche mieux adaptée à ta situation. Si jamais je ne te revoyais pas, je veux te souhaiter bonne chance, Max. Je pense que tu mériterais d'en avoir un peu…

Quelque chose dans le ton de sa voix me dit qu'elle sait déjà que nous ne nous reverrons jamais. Les dés sont jetés, et je ne sais pas par qui, ni pour quoi.

Tout ce que je réussis à répondre, c'est « Merci, madame ».

— Attends un peu, me dit-elle alors que j'ai déjà la main posée sur la poignée de la porte. J'ai encore quelque chose à te dire.

— Je vous écoute.

— As-tu déjà pris l'avion ?

— … Non.

— Je m'en doutais un peu… Laisse-moi t'expliquer un truc. Tu sais peut-être que les agents de bord donnent des consignes de sécurité, avant le départ. C'est toujours un peu ridicule, vu que personne ne les écoute, mais ils sont obligés de le faire, c'est la loi. Une de ces consignes est un peu étrange. Ils disent que si jamais les passagers doivent utiliser des masques à oxygène, les mères avec de jeunes enfants doivent *d'abord* fixer leur propre masque avant de venir en aide à leur enfant. De prime abord, ça semble égoïste, mais, quand on y réfléchit, on se dit que cette recommandation est très sensée : on ne peut aider personne quand on est mort… Essaie de t'en souvenir, Max. Il faut se sauver soi-même avant de sauver les autres.

13
La cagoule

En sortant de chez Véronica, je rejoins mon groupe, qui se prépare pour une excursion. Cette fois-ci, nous ne gravissons pas de montagne. Nous marchons plutôt sur un chemin de terre qui mène à une grange abandonnée, puis nous rentrons en contournant le lac. Nos sacs à dos ne sont pas trop lourds, et personne ne se tue à la tâche.

Nous rentrons juste à temps pour le dîner. Comme j'ai pigé le deux de cœur ce matin, c'est à moi d'assurer le service en compagnie du gars qui a le trois. Ce n'est rien de très compliqué : on va chercher les plats à la cuisine, on donne une portion à chacun, et le tour est joué. On mange avec les autres, mais on doit ensuite rapporter la vaisselle à la cuisine. Ce sont ceux qui ont les deux et trois de carreau qui doivent se taper la vaisselle de tout le monde. Comme nous n'avons que des gamelles en métal et des cuillers en plastique, ce n'est pas une corvée très difficile.

Je fais ensuite de l'athlétisme léger, puis j'ai droit à une période libre, ce qui ne veut pas dire que je peux faire ce que je veux, où je veux. En fait, je dois rester avec mon équipe, qui se rend dans une salle au plafond très haut. Deux des murs sont percés de hautes fenêtres étroites. La plupart sont fermées par des panneaux de contreplaqué, mais certaines sont encore décorées de vitraux. Nous nous trouvons sans doute dans l'ancienne chapelle.

Au fond de la salle, deux immenses portes de bois, qui devaient autrefois servir d'entrée principale, sont condamnées par de solides madriers qui y ont été grossièrement cloués.

Comme la seule issue est la porte par laquelle nous sommes entrés, il suffit d'y poster un gardien pour surveiller tout notre groupe. L'homme qui nous accompagne aujourd'hui s'assoit sur une chaise droite et commence aussitôt à somnoler. J'en conclus que nous devrons nous débrouiller pour passer du mieux que nous pouvons notre « période libre ».

Un adulte qui somnole, des jeunes qui n'ont rien à faire : de toutes les activités du camp, c'est sûrement celle-ci qui me rappelle le plus la polyvalente.

Il n'y a ni autel, ni statues, ni lampions dans cette ancienne chapelle. Le seul mobilier, ce sont des rayonnages sur lesquels reposent de vieux livres poussiéreux. Je suppose qu'il s'agit là des derniers vestiges d'une bibliothèque qui a occupé ce local, jadis. J'aimerais bien y jeter un coup d'œil, mais je ne veux pas trop m'isoler du reste du groupe, qui se dirige plutôt vers une grande armoire, tout au fond de la salle.

Cette armoire contient des jeux qui doivent s'y trouver depuis l'époque de l'orphelinat : ballons dégonflés, raquettes de badminton défoncées, filets de ping-pong (mais il n'y a pas de table ni de balles), jeux de société du genre serpents et échelles, dominos et scrabble… Aucun de ces jeux ne trouve preneur, et je comprends vite pourquoi : il serait difficile d'y jouer sans parler, ou du moins sans entrer en contact avec les autres.

Ce que je vois par la suite confirme mon hypothèse : certains prennent des jeux de cartes et s'assoient par terre pour faire des patiences, d'autres choisissent des casse-tête et vont s'installer le plus loin possible des autres, d'autres enfin ne font rien du tout. Ils se nettoient les ongles ou se décrottent le nez, regardent le plafond ou le bout de leurs souliers, et certains s'étendent carrément sur le sol pour dormir. Même pendant les périodes libres, nous restons enfermés dans notre silence.

Le seul qui s'est trouvé une activité originale est celui qui ressemble à un serpent. Adossé contre le mur, il sort une couleuvre de sa poche et essaie de communiquer avec elle en lui tirant la langue.

Ne sachant trop que faire, je me dirige finalement vers la bibliothèque. Je sais que je risque ainsi de me faire remarquer, mais tant pis. C'est plus fort que moi. S'ils ne voulaient pas que nous lisions, ils n'avaient qu'à enlever les livres de là.

Les rayons sont poussiéreux, et les livres plus encore. Je fouille sur les tablettes : un *Nouveau Testament*, une encyclique du pape Pie IX, un guide touristique du Portugal qui date de 1947, avec des illustrations en noir et blanc, la vie de dom Bosco… Rien de très palpitant. Un peu plus loin, je tombe sur une série de vieux romans : *Le Petit Chose*,

Le Grand Meaulnes, *Lettres de mon moulin*, *Croc-Blanc*…

Un titre m'attire plus que les autres : *L'Île au trésor*. Je m'installe dans un coin, adossé contre le mur, j'ouvre le livre… et les deux heures suivantes passent sans que je m'en aperçoive. Quand j'entends les gars de mon équipe ranger leurs jeux de cartes dans les armoires et se mettre en rang pour sortir de la pièce, je reste pendant quelques secondes dans une sorte de brouillard : je ne sais plus comment je m'appelle, ni dans quel pays je vis, ni même dans quel siècle.

Peu m'importe d'être emprisonné, du moment que j'ai accès à une bibliothèque : c'est plus facile de s'évader en lisant un livre qu'en creusant un trou dans le sol avec une petite cuiller – surtout si elle est en plastique ! Le seul problème, c'est que ça ne dure pas.

+ + +

De retour dans ma chambre, j'aperçois sur mon lit un vêtement sombre qui semble très lourd.

En dépliant ce qui ressemble à un gros chandail à capuchon, je suis agréablement surpris par sa texture. Il est fait de morceaux de tissus différents cousus ensemble pour former d'étranges motifs. Certains tissus ressemblent à du suède, d'autres à de la soie, d'autres encore à du denim ou à du velours côtelé. Tous les morceaux sont de couleurs différentes, mais toujours dans des teintes très sombres, qui s'harmonisent à merveille entre elles. Je ne sais pas si c'est Véronica qui a cousu ce vêtement ou si elle s'est contentée de le dessiner, mais, quel que soit le cas, elle a de quoi être fière de son travail.

Je l'enfile avec précaution, de peur de le déchirer, et je le trouve tout de suite aussi confortable qu'un vieux jean. On dirait qu'il a été fabriqué sur mesure pour moi, qu'il n'attendait que moi. Les manches sont amples, mais de la bonne longueur, et le vêtement est bien plus léger que je ne l'aurais cru. Il couvre tout le haut de mon corps, comme un blouson. La partie la plus originale est sûrement le capuchon. Si je le laisse tomber sur mes épaules, il ressemble à une écharpe. Si je m'en couvre la tête en le repliant un peu, je suis protégé du froid et des intempéries. Mais si je le déplie entièrement, je disparais. À l'abri des regards et des éléments, je peux quand même entendre et observer ce qui se passe autour de moi. Je suis un sous-marin qui émerge quand bon lui semble, avant de retourner se cacher dans les profondeurs de l'océan. Je suis là sans être là, je peux regarder sans que les autres me voient, je suis dans mon monde à moi, d'où j'observe le reste du monde. Je suis un moine du Moyen Âge ou un voleur de grand chemin, un vagabond errant, un homme du désert, je suis une ombre, je suis qui je veux, comme je le veux, quand je le veux.

Je vais dans la salle des douches pour regarder mon image dans le vieux miroir dépoli et je n'en reviens pas de l'effet qu'un simple vêtement peut produire. Je rabats mon capuchon sur mes épaules, et je vois apparaître quelqu'un qui me ressemble, mais qui n'est déjà plus tout à fait moi. Je remets le capuchon sur ma tête, et je repars encore une fois dans un pays que personne ne connaît, là où personne ne peut m'atteindre.

Je recommence, encore et encore, et chaque fois la magie opère. Je suis moi, mais je suis en même temps quelqu'un d'autre, quelqu'un dont je pressens qu'il pourrait être le vrai moi, et dont j'ai envie de faire la connaissance. Je me sens comme une larve qui a fini de tisser son cocon et qui va bientôt renaître, métamorphosée.

Véronica a vraiment su trouver ce qui me convenait. Si j'étais à sa place, je créerais ma propre entreprise de psychologue vestimentaire.

Comment appeler ce vêtement ? Ce n'est certainement pas un blouson ni une veste. Ce n'est pas non plus exactement un chandail. Une cagoule, peut-être ? Je ne sais pas si c'est le terme exact, mais j'aime la sonorité de ce mot.

Pourquoi ne pas vérifier dans le dictionnaire ? Ça sert à ça, après tout.

Selon mon *Petit Larousse*, une cagoule est un « manteau de moine, sans manches, surmonté d'un capuchon ». Le mien a des manches, mais tant pis. Je décrète que mon vêtement est quand même une cagoule. Si c'était moi qui rédigeais les dictionnaires, je l'écrirais plutôt avec un *k*. *Kagoule* fait plus sinistre, plus dangereux, et ça fait ressortir le mot *goule*, qui est assez inquiétant… Qu'est-ce que c'est qu'une *goule*, au fait ? J'ai croisé ce mot-là dans des romans d'horreur, mais je n'ai jamais su ce que ça voulait dire au juste. Toujours d'après mon ami *Larousse*, une *goule* est un « démon femelle qui, selon les superstitions orientales, dévore les cadavres dans les cimetières ».

Brrr…

Heureusement que les mots n'ont pas de pouvoir magique : je ne me sens pas tellement femelle, et je n'ai aucune envie de dévorer des cadavres.

Ma cagoule, par contre, semble vraiment avoir des vertus magiques. Je l'étrenne pour le souper, et je ne vois rien de ce qui se passe à ma droite ni à ma gauche. Même entouré, je suis seul. Je peux voyager dans mes pensées, et personne ne sait où je suis. Mieux encore : je découvre que le tissu épais étouffe les bruits. C'est bien commode quand ceux qui nous entourent sont incapables de manger sans faire des *schlirps* et des *schlurps*.

Aussitôt le repas terminé et les gamelles rapportées à la cuisine, je rejoins mon groupe dans le stationnement, en face de l'école.

Deux fourgonnettes s'y trouvent, toutes deux noires comme des voitures funéraires, et sans fenêtres sur les côtés ni à l'arrière. La première est conduite par le Nazi, qui y fait monter les Piques, parmi lesquels j'ai tôt fait de repérer le Mohawk.

Mon équipe se dirige vers la deuxième, où nous attend le gardien qui s'occupe habituellement du soccer. Il nous fait signe de monter, et nous nous entassons comme nous le pouvons sur les trois banquettes.

Comme je suis assis à l'arrière, je n'ai aucun moyen de savoir où nous allons. Si j'en juge par les grincements de la suspension et les bruits des branches sur les côtés du véhicule, nous empruntons sûrement le chemin qui m'a conduit ici il y a quelques jours. Ça fait combien de temps, au juste ? Trois jours ? On dirait pourtant une éternité...

Personne ne dit rien de tout le trajet, et le chauffeur n'allume même pas la radio.

Nous roulons ainsi pendant une bonne demi-heure avant de nous arrêter. Nous devons être arrivés à destination, puisque tout le monde descend de la fourgonnette.

Nous sommes dans le stationnement d'un garage abandonné, celui-là même que j'ai aperçu quand on m'a amené à ce camp. Les pompes à essence ont été enlevées, et de grands panneaux de contreplaqué recouvrent les vitrines.

J'ai à peine le temps de me dérouiller un peu les jambes que le véhicule conduit par le Nazi se stationne à côté du nôtre. L'équipe des Piques en sort et nous rejoint.

Je ne sais pas encore ce que nous ferons au cours de cette sortie, mais j'ai l'intention d'en profiter pour entrer en contact avec le Mohawk, d'une façon ou d'une autre. Pour le moment, j'essaie de ne pas le regarder, pour éviter d'éveiller les soupçons.

Nous formons un cercle autour du Nazi, qui nous donne ses consignes:

— Pour la plupart, vous savez ce que vous avez à faire. On se retrouve ici aussitôt que le soleil sera couché. Si j'entends dire que l'un d'entre vous a commis un vol à l'étalage, du vandalisme ou tout autre délit, je vous garantis que vous allez y goûter. Je le répète à l'intention du petit nouveau, mais je veux que le message soit clair pour tout le monde: la règle du silence s'applique plus que jamais. Cette sortie est un privilège que nous vous accordons, mais il pourrait facilement vous être enlevé. Maintenant, allez vous promener.

Le Nazi n'entend vraiment pas à rire, aujourd'hui. Vu la qualité de son humour, je ne devrais pas m'en plaindre, mais ses avertissements n'en sont que plus percutants. Il m'a regardé droit dans les yeux en parlant du petit nouveau, et j'en ai eu des frissons dans le dos. J'ai intérêt à ne rien dire et à me tenir tranquille.

Ne sachant trop quoi faire, je reste là, en attendant qu'il se passe quelque chose. Certains gars partent vers la droite, d'autres vers la gauche. Ils marchent lentement, si lentement que ça ne me paraît pas naturel. Jouent-ils à un jeu étrange qui consiste à imiter des morts-vivants, ou sont-ils tout simplement habitués à économiser leur énergie ?

Je me dirige vers la gauche, en essayant de marcher aussi lentement que les autres gars, et même un peu plus, n'ayant aucune idée de ce que je ferais si je me retrouvais à la tête de cette étrange procession.

Il n'est pas très tard, et pourtant les rues sont désertes. Les maisons que j'avais aperçues à travers les vitres de la fourgonnette me semblent encore plus sinistres vues de près. Ce sont pourtant de belles maisons de bois, avec des pelouses et de grands arbres, mais la plupart sont mal entretenues et d'autres sont carrément à l'abandon. Des affiches À *vendre* sont plantées devant bon nombre d'entre elles. Les mauvaises herbes ont envahi les parterres, des branches mortes couvrent le sol, quand ce ne sont pas de vieux matelas et des sacs à ordures crevés.

Nous sommes maintenant parvenus à ce qui semble être la fin du village : les maisons se font de plus en plus rares, et on peut lire *REVENEZ NOUS VOIR !* en grosses lettres sur un panneau de bois à moitié recouvert de graffitis. Le panneau a dû être éclairé par des lumières, autrefois, mais certaines personnes semblent s'être amusées à les briser en y lançant des pierres – à moins qu'elles n'aient tiré dessus à la carabine.

Quand ils arrivent à ce panneau, les gars qui me précèdent rebroussent chemin et marchent tout aussi lentement vers le centre du village.

Est-ce cela que les responsables du camp appellent une sortie ? Nous devons arpenter la rue principale d'un village désert le plus lentement possible jusqu'à ce que le soleil se couche ? Tu parles d'un privilège !

Nous revenons vers le garage, où trois gars sont assis sur des blocs de ciment. Ils se tiennent aussi loin que possible les uns des autres et se tournent le dos. Ils ne disent rien, ne bougent pas. Ils restent là, comme des statues, et ne réagissent pas quand ils nous voient passer devant eux. Le Nazi et l'autre gardien sont là eux aussi, tout près des fourgonnettes, et ils semblent n'avoir rien de mieux à faire que de griller des cigarettes.

Je pourrais sans doute les imiter et m'écraser quelque part en attendant de retourner au camp, mais je décide de continuer à marcher. Tant qu'à faire, aussi bien explorer un peu ce village.

Au-delà du garage, il y a un restaurant pour camionneurs comme on en voit dans les films, avec un immense stationnement à l'avant pour accueillir les camions. Ce commerce est fermé, lui aussi : des panneaux de contreplaqué recouvrent les vitrines, et l'enseigne a été vandalisée.

Un peu plus loin, je passe devant un parc qui donne sur un grand lac. Je m'installerais volontiers sur un des bancs publics qui s'y trouvent, mais l'un d'eux est déjà occupé par un gothique qui regarde dans le vide, et l'autre par l'amateur de serpents, allongé pour faire une sieste.

Passé le parc, j'aperçois une petite épicerie, qui m'apparaît comme le seul commerce du village toujours en activité. Un jeune punk y entre, et je décide de le suivre.

Une fois dans le magasin, je me demande ce que je suis venu y faire : je n'ai pas un sou en poche, et il n'y a rien d'autre à voir ici que des boîtes de conserve, des sacs de chips et des billets de loterie. Je m'approche quand même du comptoir des magazines, mais je me contente de regarder les titres tout en ne perdant rien de ce qui se passe autour de moi.

Derrière le comptoir, une vieille dame, qui doit être la propriétaire, suit le punk des

yeux. Elle semble terrorisée par son appa-
rence, et je la comprends. Ce gars-là fait
vraiment tout ce qu'il peut pour avoir l'air
menaçant. Je me rends compte aussitôt que
je suis mal placé pour juger : avec mon capuchon sur la tête, j'ai peut-être l'air encore
plus inquiétant que lui.

Au moment où je rabats mon capuchon
sur mes épaules, le jeune punk passe devant
la propriétaire et lui fait une horrible grimace. Sa langue, démesurément longue, est
presque entièrement recouverte de piercings.

Je ne sais pas si le punk a simplement
voulu faire une blague, mais si c'est le cas, il
s'agit sûrement de la blague la plus stupide
qu'on puisse imaginer. Peut-être qu'il en
veut à l'humanité tout entière, et je peux
le comprendre, mais pourquoi s'attaquer à
cette vieille dame ? De quoi est-elle responsable ?

Je ne veux pas être associé à ce gars-là,
ni de près ni de loin. Comme il va vers la
gauche en sortant du magasin, je me dirige
vers la droite et je marche le plus vite possible, pour être sûr de m'en éloigner.

Sans l'avoir voulu, je me retrouve ainsi à
rattraper le Mohawk, qui marche au milieu
de la rue en regardant ses pieds, à qui il semble avoir beaucoup de choses à dire.

— Pic à pic à pic, ô pic à pic à pic, je suis le roi Syllabus de Syllabie, prince des syllabes et empereur des galaxies, grand officier de l'ordre du trou noir et des petits déjeuners servis à toute heure du jour et de la nuit par nos employés compétents et nos nombreux nombrils modèles. Salut à toi, bonne sainte Anne ! Salut à toi, torpille tenace de l'immensité glauque ! Sais-tu ce qui cloche ? Sais-tu ce qui cloche ? Sais-tu ce qui cloche, à ma gauche ?

Pas de doute, il y a quelque chose de coincé sur son disque dur… À moins… À moins que ce ne soit un message qu'il veut m'adresser ?

Nous passons devant l'église, et le Mohawk se dirige vers l'entrée principale. Je ralentis pour voir ce qu'il va faire. Il n'essaie pas d'y entrer, mais la contourne par la gauche, tout en continuant de marmonner je ne sais quoi.

Comme je ne veux pas avoir l'air de le suivre, je monte les marches du parvis et j'essaie d'ouvrir une des portes, sans succès. Je contourne ensuite l'église par l'autre côté, et j'aperçois le Mohawk, assis sur un banc à l'entrée d'un petit cimetière, qui dodeline de la tête. Je peux me tromper, mais il me semble qu'il me fait signe d'approcher.

Je décide d'emprunter le chemin de terre qui mène de l'église au cimetière. Ça m'obligera à passer tout près de lui. S'il continue à faire le débile, je passerai tout droit, mais s'il a quelque chose à me dire, ce sera le moment ou jamais.

Je marche donc vers lui, tout en faisant de grands efforts pour regarder ailleurs.

Je l'entends marmonner, mais je ne comprends rien de ce qu'il dit. Quand je suis à quelques pieds de lui, cependant, je saisis très bien ses paroles, même s'il parle à voix basse. Il me semble très calme et ne fait aucun geste. C'est à peine si ses lèvres bougent. Quelqu'un qui nous observerait de loin n'aurait aucun moyen de savoir qu'il me parle.

— Écoute-moi bien, *man*, je sais que tu es intelligent, mais ici, ça ne sert à rien, crois-moi. Ça peut même te jouer des tours. Ce n'est pas pour rien que je fais le con. Si j'étais toi, j'en ferais autant. N'essaie pas d'entrer en contact avec moi, c'est dangereux. *Vraiment* dangereux. Attends que je te dise quoi faire. Nous aurons peut-être bientôt besoin de toi. En attendant, fais ce qu'ils te disent, *man*, c'est tout. N'essaie surtout pas de te sauver, ils te rattraperont. Je te répète que ces gens-là sont dangereux, bien plus dangereux que tu ne peux l'imaginer.

Je continue à marcher vers le cimetière, sans accélérer le pas ni ralentir, comme si de rien n'était. Je fais celui qui n'a rien entendu, alors que j'ai très bien entendu, et même un peu trop bien à mon goût.

J'entre dans le cimetière, j'y fais quelques pas et j'attends encore un peu avant de regarder en direction du banc où le Mohawk était assis. Le banc est maintenant vide, et je me sens un peu vide, moi aussi.

Je m'assois sur un autre banc, au milieu du cimetière, et j'y reste un bon moment, à regarder les pierres tombales, jusqu'à ce que je remarque que le soleil descend rapidement à l'horizon.

En retournant vers le stationnement, je passe une fois de plus devant le banc qu'a occupé le Mohawk. Des frissons me parcourent l'échine quand je repense à ce qu'il m'a dit. J'examine le banc, dans le vague espoir d'y trouver un message qu'il aurait laissé là pour moi, mais il n'y a rien. Je regarde les mots gravés dans le bois, mais tout ce que j'apprends c'est qu'un certain Yannick aime Linda.

Il est chanceux, ce Yannick. Pour ma part, je me suis rarement senti aussi seul.

Nous nous entassons dans les fourgonnettes et nous rentrons juste à temps pour le
feu de camp.

Je regarde les flammes et je me repasse
en boucle les avertissements du Mohawk :
*Nous aurons peut-être bientôt besoin de toi. En
attendant, fais ce qu'ils te disent, c'est tout.*

Dix mille questions se bousculent dans
ma tête, mais il y en a une qui revient sans
cesse et qui finit par éclipser toutes les
autres : Qu'est-ce que je fais ici ? J'ai l'impression d'être manipulé depuis le début,
mais je ne sais pas par qui ni pour quoi.

14
Thérapie de choc

— Pas de baignade pour toi ce matin, le pic, me dit le Nazi en me donnant un huit de trèfle. Retourne dans ta chambre tout de suite après le déjeuner. On viendra te chercher pour l'examen médical.

Je ne suis pas fâché de rater la baignade. Une petite pluie froide s'est mise à tomber au cours de la nuit, et je n'ai pas plus envie qu'il faut d'aller mariner dans le lac.

Je mange en silence, protégé par mon capuchon, puis je retourne à ma chambre.

J'ouvre le dernier tiroir de la commode et j'y trouve un joint, comme d'habitude. Je vais le jeter dans les toilettes, puis j'essaie de réfléchir : qu'est-ce que c'est que ce camp où on fournit des joints aux jeunes ? Qu'est-ce que je fais ici? Qu'est-ce qu'on attend de moi?

Véronica est psychologue, et je dois la consulter deux fois par semaine. On me considère donc comme un *malade*, d'une certaine manière. Mais de quelle maladie est-ce que je souffre, au juste? Chose certaine, je ne nage pas en plein délire paranoïaque, comme le Mohawk. Mais est-il vraiment dérangé? La moitié de ce qu'il dit me semble complètement fou, mais l'autre moitié ne l'est pas du tout.

Peut-être que certaines maladies mentales ressemblent à de l'asthme: ça va et ça vient selon les jours. Hier soir, au cimetière, le Mohawk n'avait aucun tic nerveux et il semblait en pleine possession de ses moyens. Peut-être que ses attaques de paranoïa sont si fortes qu'elles l'emportent sur son syndrome de la Tourette?

Mais pourquoi est-ce que je persiste à penser qu'il est paranoïaque? Mon impression profonde, c'est que ce gars-là est plus informé que nous tous et qu'il fait semblant de souffrir du syndrome de la Tourette pour passer des messages. Mais que veut-il me dire, au juste?

Je suis tellement plongé dans mes réflexions que je sursaute quand on frappe à la porte.

Le Nazi est là, qui m'invite à le suivre.

— Il était temps que tu répondes ! Avais-tu commencé ton examen médical tout seul, le pic ? Ha ha ha ! Tu t'amusais à jouer au docteur ? Ha ha ha ! Vous êtes gâtés pourris, vous autres, les jeunes, et vous ne le savez même pas ! Une infirmière se déplace pour vous voir ! J'en connais qui paieraient cher pour ce service ! Ha ha ha !

Je l'écoute distraitement tout en le suivant dans les corridors de l'édifice, et je ne peux m'empêcher de penser qu'il a un peu raison : on m'offre gratuitement les services d'une psychologue et d'une infirmière, sans parler des repas, des vêtements et de tout le reste. Tout ça coûte cher. Qui règle la facture ? Pourquoi ces gens-là continueraient-ils à payer pour moi alors que je n'ai pas besoin de leurs soins ?

Je n'ai toujours aucune réponse à ces questions lorsque nous arrivons dans une petite salle d'attente rudimentaire où il n'y a que deux chaises. Sur la première se trouve le punk qui a fait la grimace à la vieille dame pendant notre sortie au village. L'autre place est libre. Au moment où je m'y assois, une porte s'ouvre pour laisser sortir un gars que je ne connais pas. Le punk se lève, entre dans la pièce et referme la porte derrière lui.

Dix minutes plus tard, le punk sort du bureau en titubant, pâle comme un drap. L'infirmière, qui le suit de près, le saisit par le coude et l'oblige à s'asseoir.

— Ce n'est rien, dit-elle en s'adressant au Nazi. Il a la phobie du sang. Ça arrive à tout le monde.

Piqué dans son orgueil – c'est vraiment le cas de le dire! –, le punk essaie de se lever, mais il chancelle encore et doit se rasseoir. Il me lance alors un regard assassin, que je n'ai aucun mal à décoder: *si tu racontes ça à qui que ce soit, je te tue.*

Il n'a pourtant rien à craindre: à qui donc pourrais-je raconter que notre ami qui est si brave pour faire peur aux vieilles dames se transforme en lavette quand il aperçoit une petite goutte de sang de rien du tout? À personne, et c'est bien dommage.

J'entre à mon tour dans le bureau de l'infirmière, qui entreprend de m'examiner: elle regarde ma langue et mes oreilles, m'envoie de la lumière dans les yeux, me donne un coup de marteau sur le genou et prend ma pression en un temps record. Elle me demande ensuite de passer à la salle de bain pour lui fournir un échantillon d'urine, elle me fait cracher un peu de salive dans un contenant de plastique, puis elle termine le tout par une prise de sang.

Un garrot, une aiguille qui s'enfonce sous la peau, un tube qui se remplit de liquide rouge, et voilà, le tour est joué. Cette infirmière est une vraie professionnelle. Précise, efficace et désabusée juste ce qu'il faut pour nous faire comprendre qu'elle n'a pas le temps ni le goût de faire la conversation.

En sortant de son bureau, je vais rejoindre mon équipe, qui se dirige vers le champ où a lieu l'activité *pneux*. Je m'aperçois alors qu'il y a bien pire que de se baigner sous la pluie : courir entre des pneus sur un terrain détrempé, c'est vraiment horrible. On a beau y aller le plus lentement possible, on se casse la gueule à chaque pas, et on se la casse une deuxième fois en essayant de se relever.

J'en suis à mon premier parcours et j'ai déjà des bleus partout.

Je regarde le ciel, uniformément gris. La journée va être longue.

+ + +

Après un dîner sans histoire, l'après-midi commence par un match de soccer sous la pluie et se poursuit par une excursion. Nous montons jusqu'au deuxième sommet, avec le sac le plus lourd que j'aie eu à supporter depuis mon arrivée dans ce camp. Qu'est-ce que je disais, déjà, à propos de mon avenir dans les forces armées ?

Je marche lentement, le capuchon sur la tête pour me protéger de la pluie froide, sans jeter le moindre regard à la nature qui m'entoure. Je me contente de mettre un pied devant l'autre en m'assurant à chaque pas de ne pas glisser dans une flaque de boue. J'ai beau être prudent, il y a tellement d'eau que le sentier ressemble parfois à un ruisseau, et je me ramasse par terre deux fois plutôt qu'une.

Monter, monter, toujours monter, disait le Mohawk… J'aurais envie de répéter la phrase jusqu'à ce que nous soyons arrivés au sommet, comme un mantra stupide qui finirait par m'abrutir au point où je perdrais la notion du temps. *Monter, monter, toujours monter*…

Qu'est-ce que Véronica m'a recommandé, déjà ? De profiter du silence pour explorer mon monde intérieur, ou quelque chose comme ça… Je suis prêt à essayer, mais comment fait-on pour s'explorer soi-même ? Je veux bien faire des associations d'idées, mais à partir de quoi ? Et qui sera là pour me dire ce que ça signifie ?

Et si j'y allais sans réfléchir ?

Je me transporte sur une île du Pacifique, où je suis naufragé. Un bateau accoste. Il est piloté par mon père. C'est la première fois que je le vois, mais je le reconnais tout de suite. C'est un homme très grand et très musclé, intelligent, généreux, perspicace, courageux, tout. Il a voyagé dans tous les pays du monde pour me retrouver et il y est enfin arrivé. Il s'excuse d'avoir pris tant de temps, mais il a une explication convaincante à me donner :

a) il était prisonnier en Corée du Nord ;

b) quelqu'un de mal intentionné lui avait dit que j'étais mort ;

c) il a reçu un choc sur la tête et il souffrait d'amnésie ;

d) un sorcier vaudou lui a jeté un sort ;

e) toutes ces réponses en même temps : il souffrait d'amnésie dans une prison de Corée dont le gardien était un sorcier vaudou, mais il a recouvré ses esprits, et il s'est aussitôt lancé à ma recherche bien que tout le monde lui ait dit que j'étais mort.

Il m'a donc retrouvé après avoir affronté mille périls, et moi je suis très content de le

173

revoir, parce que c'est vraiment un héros. Nous allons nous installer dans la villa qu'il s'est fait construire sur une île voisine, et je passe des jours merveilleux à me baigner dans la mer turquoise et à jouer au tennis avec mon père. Un jour, en me promenant sur la plage, je rencontre une belle jeune femme, naufragée elle aussi…

Oui, bon…

En attendant, il faut monter, monter, monter dans un torrent de boue…

Je n'ai pas dit la vérité à Véronica quand je lui ai affirmé que je n'avais pas envie de savoir qui était mon père. En fait, je pense à lui presque tous les jours.

Quand j'étais petit, chaque livre que je lisais à la bibliothèque me servait à imaginer de nouvelles histoires le mettant en vedette. Quand je lisais une bande dessinée avec des aviateurs, il était pilote d'avion et vivait des aventures incroyables qui l'empêchaient de venir me chercher. Il pouvait aussi être un pilote de course, un savant destiné à sauver l'humanité d'un grave fléau, un agent secret chargé d'éviter une guerre nucléaire. Ou encore il avait inventé une machine à voyager dans le temps pour me retrouver, mais une manette s'était coincée et il avait été obligé se battre contre les hordes de Gengis Khan (j'avais lu un livre sur lui, et il me semblait très méchant).

Les aventures que j'inventais à son sujet ne finissaient jamais. C'était meilleur que bien des livres que je lisais, et cent fois meilleur que ce que je vivais. Mais après, il fallait toujours retomber dans la réalité, et la réalité ressemblait trop souvent à une flaque de boue…

En parlant de boue, nous voici maintenant au deuxième sommet, la pluie s'est arrêtée, et je n'ai presque pas vu le temps passer. Est-ce que c'est juste ça, une thérapie? Il suffit d'inventer des histoires pour passer le temps? Si oui, quand est-ce que ça s'arrête? Comment on fait pour savoir qu'on est guéri, et guéri de quoi?

✦ ✦ ✦

Je ne sais pas trop où j'en suis dans ma thérapie quand nous revenons au camp, mais une surprise m'y attend. Le Nazi me fait signe de le suivre et il m'annonce discrètement que le directeur veut me rencontrer. Le directeur? Que peut-il me vouloir?

Le Nazi me conduit à une aile où je ne suis encore jamais entré. Nous franchissons une porte, traversons un petit bureau qui doit être celui de la secrétaire et arrivons enfin dans le bureau du directeur. De grandes fenêtres, des bibliothèques vitrées, un bureau massif et richement décoré, sur lequel reposent un sous-main en cuir et un porte-plume en marbre. Je rêve d'être assis derrière un bureau de ce genre, un de ces jours. Les gens que je convoquerais se sentiraient petits, tout petits…

Pour le moment, il n'y a personne dans la pièce. Je m'assois dans le fauteuil qui se trouve en face du bureau. Peu après, j'entends des voix provenant du bureau de la secrétaire.

— Il est arrivé, monsieur le directeur.

— Parfait. Laissez-moi seul avec lui.

La première voix est celle du Nazi. Et je reconnais immédiatement la deuxième, une voix mielleuse qui me donne froid dans le dos.

— Reste assis, Max. Après une journée comme celle que tu viens de passer, j'imagine que tu dois être fatigué…

Je ne me suis pas trompé: c'est bel et bien la voix de Mac Do que j'ai entendue.

15
Un max de *cash*

Mac Do contourne le bureau et se dirige vers un portemanteau, où il suspend son imperméable et son chapeau. Veston, cravate, chemise blanche, chaussures brillantes comme des miroirs, il est toujours habillé comme un directeur de banque.

— Ça fait du bien de te retrouver ici, Max, lance-t-il en m'adressant un grand sourire. On m'a dit beaucoup de bien de toi. Tu ne pouvais pas tomber en de meilleures mains, crois-moi.

Ai-je bien entendu le Nazi l'appeler *monsieur le directeur* ? Je sens un orage se déclencher dans ma tête, et, du coup, tous les éléments se mettent en place. Mac Do m'a manipulé depuis le début, et je n'ai rien fait d'autre que de m'empêtrer davantage dans son piège.

— Je dois t'avouer que j'ai eu des doutes à ton sujet, poursuit Mac Do, mais les tests médicaux sont formels : nous n'avons décelé aucune trace de drogue dans ta salive, ni dans ton urine, ni dans ton sang. On peut donc te croire quand tu affirmes que tu n'as jamais rien consommé. Étant donné la famille dans laquelle tu es né – si on peut parler de famille –, ça relève de l'exploit. Maintenant, nous allons nous parler dans le blanc des yeux, d'accord ?

— D'accord.

Y a-t-il une autre réponse possible ? Est-ce que j'ai le choix d'être d'accord ou non avec cet homme-là ?

— C'est pour te tester que je t'ai conduit ici, me dit-il en s'assoyant en face de moi. Je savais que tu avais du potentiel pour grimper dans notre organisation, mais je dois dire que tu as réussi à m'impressionner. Je suis vraiment fier de toi, Max. Laisse-moi t'expliquer quelque chose : tu sais sans doute que les vrais *dealers* ne touchent jamais à ce qu'ils vendent. Je ne te parle pas ici des petits revendeurs de rue, mais de ceux qui sont en haut de l'échelle, là où sont les vrais profits. Ceux-là ne prennent jamais de dope pour une raison bien simple : ils savent que c'est de la pure cochonnerie. Mais il y a aussi une autre raison : si l'organisation apprenait qu'un de ses membres se drogue, elle l'éliminerait. Sais-tu pourquoi ?

— D'abord parce qu'il gaspillerait la marchandise, mais surtout parce qu'il n'y a rien de plus facile que de faire parler un drogué. Il suffit de le priver de sa dose le temps qu'il faut et de lui promettre une récompense s'il se met à table.

— … D'où est-ce que tu tiens ça, toi ?

— De nulle part. Je sais me servir de ma tête, c'est tout.

— Je n'en ai jamais douté. Un *dealer* qui consomme risque de se retrouver au fond du fleuve, à regarder les poissons lui tourner autour pendant qu'il essaie d'enlever ses chaussures de ciment. Il paraît que c'est un méchant *bad trip*… Tu n'as jamais consommé de dope, et c'est parfait. C'était la première condition pour que tu puisses te joindre à nous. La deuxième condition, c'est de savoir se fermer la trappe. Là encore, tu as passé le test haut la main. Toutes mes sources m'ont confirmé que tu avais répété mot pour mot l'histoire de ce supposé Kevin que tu rencontrais dans la ruelle. Tu n'as jamais changé de version, ni avec la police, ni avec la thérapeute, et c'est tout à ton honneur. Tu as bien appris ta leçon, Max. Il faut croire que tu avais un bon maître.

Je hais profondément cet homme, je déteste son sourire autosatisfait, mais je dois m'efforcer de n'en rien laisser paraître.

— Ça prend de l'intelligence pour ne jamais en dire trop, poursuit-il en admirant ses ongles, et nous avons cette intelligence-là, toi et moi. Peut-être même que nous avons plus de choses en commun que tu ne le penses, Max. *Beaucoup* plus… Bon sang ne saurait mentir, comme dit le proverbe, et nous sommes faits du même bois, toi et moi, nous sommes de la même essence. Un homme sur cent est fait pour dominer, les autres sont programmés pour être des moutons. C'est génétique, on n'y peut rien. Je savais depuis le début que tu serais un candidat de choix pour l'organisation, mais il ne fallait pas brûler les étapes. Tu n'en as plus pour longtemps à rester au bas de l'échelle avec tous ces minables que nous avons réunis ici, crois-moi. À peine quelques jours, et tu pourras enfin te joindre à nous. Tout ce que tu veux, tu vas l'avoir : des autos, des femmes, des voyages, du *cash* plein les poches, *name it* ! Mieux encore, tu auras le respect de tout le monde. On viendra manger dans ta main, Max… Mais voyons maintenant si tu es aussi intelligent que je le pense. J'imagine que tu as deviné depuis longtemps ce qui se passe dans notre camp ?

— En partie, oui.

Je ne vais quand même pas lui avouer que je n'avais rien deviné avant de l'apercevoir devant moi. Ce n'est qu'à ce moment-là que les pièces du casse-tête ont commencé à se mettre en place, mais il m'en manque encore quelques morceaux.

— Dis-moi ce que tu sais, et je compléterai. À toi de me prouver que tu es plus intelligent que ce ramassis de débiles.

— J'imagine que ce n'est pas un hasard si ce camp est situé tout près de la frontière américaine…

— Bien vu, Max ! Tout commence là… Le plus drôle, c'est que nous avons acheté le bâtiment pour une bouchée de pain. Quand nous avons vu cette école abandonnée, mes associés et moi, nous avons tout de suite compris que ce serait le meilleur placement de notre vie. C'est une superbe bâtisse, stratégiquement située à l'écart du village, mais à deux pas de la frontière. En plus, il y avait une ferme complète incluse dans le *deal*, avec tous les bâtiments dont nous avions besoin pour nos cultures hydroponiques !

Il paraît que les religieux utilisaient cette ferme pour enseigner les rudiments de l'agriculture aux orphelins amérindiens, à l'époque. Ils leur apprenaient à faire pousser du maïs, imagine ! Nous, nous avons fait de cette école un centre d'aide pour les jeunes toxicomanes, ce qui nous permet au passage d'empocher des subventions du ministère des Affaires sociales et de Centraide. Bon, nous avons donc de magnifiques bâtiments tout près de la frontière. Qu'est-ce qui se passe ensuite, Max ?

— Ce n'est pas pour rien non plus que nous nous entraînons à porter des sacs à dos…

— Dix sur dix ! Une fois par semaine, nous envoyons les jeunes faire des livraisons aux États-Unis sans même qu'ils s'en aperçoivent ! Nous n'exportons que les bourgeons. Les tiges et les feuilles sont livrées à des sous-traitants, qui en extraient l'huile. Sais-tu combien ça vaut, Max, un sac à dos rempli de bourgeons de marijuana ? Tu pourrais t'acheter une Cadillac avec chacun des sacs, et il te resterait de la monnaie pour te payer un voyage dans le Sud. Imagine maintenant qu'une cinquantaine de mules bien dressées font des allers et retours toute la journée, et qu'on répète l'opération toutes les semaines pendant un été complet... Le rendement de notre investissement est tout simplement miraculeux.

— Des *mules*?

— Des mules, oui. C'est comme ça que nous appelons les imbéciles qui transportent la cargaison pour nous. Pour les recruter, nous procédons exactement comme nous l'avons fait avec toi. Nous avons des hommes qui travaillent pour nous dans les centres de détention pour jeunes. Ils nous renseignent sur les meilleurs candidats. Plus ils sont crétins et drogués, mieux c'est. Nous les accueillons à la porte du centre de détention, nous les conduisons dans un édifice qui pourrait ressembler à un Palais de justice, nous leur faisons une petite mise en scène avec une prétendue juge, puis nous les amenons ici. La plupart de ces jeunes n'ont pas d'attaches. Ils n'ont pas de famille, pas d'amis, personne qui les attend à la sortie. Il n'y aura personne non plus qui se souciera de leur disparition, si jamais ils essaient de nous jouer dans le dos... Les jeunes que tu as côtoyés cette semaine sont vraiment des riens du tout, Max. Plus idiot que ça, tu meurs parce que tu as oublié de respirer. C'est à peu près la seule chose qu'ils savent faire, d'ailleurs: respirer la cochonnerie que nous leur donnons pour les abêtir encore plus, et marcher avec un sac au dos. À la fin de l'été, nous les renvoyons d'où ils viennent avec un certificat de bonne conduite décerné par le docteur Moore lui-même! Pas besoin de te dire que le docteur Moore n'a jamais existé, et que son papier ne vaut rien. Ces gars-là sont tellement nuls qu'ils ne savent même pas que nous leur faisons traverser la frontière. Pour eux, c'est un sentier comme un autre.

— Et s'ils se font arrêter?

— Ce n'est jamais arrivé. La frontière canado-américaine s'étend sur plus de six mille kilomètres. C'est tout simplement impossible de la surveiller sur toute sa longueur. Et si jamais ils se faisaient arrêter, ce serait peut-être une bonne chose pour eux, en un sens. Ces gars-là sont comme toi, Max: ils sont bien mieux en détention qu'à la maison, du moins pour ceux qui avaient une maison. Pour eux, il n'y a aucun avenir nulle part, ni dans la société, ni dans notre organisation. Pendant qu'ils sont ici, ils ont au moins l'occasion de bien manger et de faire de l'activité physique. Si jamais ils retournent en prison, ils mangeront trois repas par jour, ils pourront apprendre un métier, ils auront droit à des services médicaux et peut-être même à de vrais psychologues…

— Parce que ceux qui sont ici…

— Ceux qui travaillent ici sont des *thérapeutes*.

— Quelle est la différence ?

— N'importe qui peut se dire thérapeute. Les nôtres ont suivi une formation de deux semaines, donnée par nos soins, qui leur a permis de décrocher un emploi d'été très payant… Tu as eu droit à la plus belle du groupe, petit chanceux. C'était un sacré morceau, non ?

— Je comprends le truc des sacs à dos, mais les sorties, à quoi ça sert ? À quoi ça rime au juste de nous faire marcher en silence dans les rues du village ?

Je regrette ma question aussitôt que les mots sont sortis de ma bouche : Mac Do risque d'être déçu par mon manque de perspicacité. Tant pis.

Il ne semble pas déçu, bien au contraire. On dirait même qu'il raffole de jouer au professeur avec moi.

— C'est là toute la beauté de notre entreprise, Max ! Laisse-moi t'expliquer : quand les jeunes arrivent de l'autre côté de la frontière, ils remettent leur sac à dos à des hommes qui les attendent dans un camion stationné au bord de la route et qui leur donnent en échange un autre sac, celui-là bourré d'argent. Les jeunes qui nous servent de mules ne savent évidemment pas ce qu'ils transportent. S'ils en avaient la plus petite idée, ils se sauveraient par le premier sentier... Cet argent-là, il faut ensuite le blanchir, et ce n'est pas une opération aussi facile qu'on pense. La meilleure méthode, c'est d'acheter des terrains ou des maisons à des gens qui sont pressés de vendre et qui acceptent d'être payés *cash*.

— ... Des gens qui ont peur de sortir de chez eux la nuit venue, par exemple...

— ... parce que les rues sont pleines de jeunes rôdeurs... Tu as tout compris, Max. Personne n'aime vivre à proximité d'un centre de détention pour jeunes, surtout si, à la tombée de la nuit, ces jeunes se promènent comme des zombies dans les rues du village.

— En plus d'être des mules, les jeunes servent d'épouvantails.

— Exactement! Il y a du profit à faire à chaque étape, comme tu vois. Ce qui nous intéresse le plus, ce sont les lots en bordure du lac. Imagine un peu leur valeur, dans un an ou deux! On y construira des condos de luxe en payant les ouvriers au noir, et les profits continueront d'entrer à pleines poches, tout à fait légalement. On transformera ensuite cette vieille école en résidence pour les personnes âgées, et la boucle sera bouclée. Et sais-tu où on sera, toi et moi, à ce moment-là ? Au bord d'une piscine des Caraïbes, dans une villa de luxe. Nous nous ferons servir des drinks par de charmantes hôtesses prêtes à tout pour satisfaire nos moindres désirs, et nous imaginerons d'autres combines pour faire cracher du *cash* aux imbéciles qui partent travailler avec leur boîte à lunch chaque matin.

— … Pourquoi ne pas garder la vieille école pendant plusieurs années ?

— Ce serait trop risqué d'organiser des expéditions en hiver, quand les arbres ont perdu leurs feuilles. Et puis il ne faut jamais presser un citron trop longtemps. C'est souvent comme ça qu'on se fait prendre. Il y a toujours quelqu'un qui se montre trop curieux, un jour ou l'autre. Un employé de la compagnie d'électricité un peu trop zélé, un pompier qui s'entête à vouloir inspecter les bâtiments pour voir s'ils respectent les règlements, un policier ou un douanier qui refuse nos pourboires… Il faut avoir une longueur d'avance sur les autres, c'est la seule solution. Maintenant, Max, tu as le choix : soit tu décides de faire le mouton, soit tu les tonds avec nous. Qu'est-ce que tu en dis ?

— Je serais bien bête de refuser ça.

— Bien parlé. Il ne te reste plus que deux épreuves à traverser, et tu pourras joindre nos rangs.

— Qu'est-ce que vous attendez de moi ?

— Tu devras d'abord entrer en contact avec le petit baquais qui a une coiffure de Mohawk. Tu sais sûrement de qui je parle : nous l'avons mis sur ta route dès ton premier jour ici.

— Celui qui a le syndrome de la Tourette ?

— Exactement. J'ai l'impression que ce gars-là nous joue la comédie, Max. Il en fait trop. Je pense de plus en plus que c'est une taupe. On le surveille depuis le début du camp, mais il n'y a pas moyen de le prendre en défaut. Ce que je voudrais savoir, c'est l'identité de son patron. Si j'ai la preuve qu'il travaille pour un concurrent, je l'éliminerai d'une façon très… *dissuasive*. Mais s'il fait partie de la police, j'essaierai de l'acheter, c'est plus prudent. Si ça ne fonctionne pas, je m'organiserai pour qu'il se noie *accidentellement*… Je compte sur toi pour nous aider, Max. À partir de demain, on s'arrangera pour que tu fasses partie de son équipe le plus souvent possible, et les gardiens recevront la consigne de vous laisser tranquilles. C'est bien compris ? Fais-le parler.

— C'est très clair.

— Parfait. La deuxième épreuve, ce sera tout simplement de traverser la frontière avec ton sac à dos en sachant ce qu'il contient : quand l'organisation donne des ordres, il faut lui obéir. Si tu réussis ces deux missions, je veillerai à ce qu'on prenne soin de toi. L'organisation ne te laissera pas tomber, Max. On ne peut pas en dire autant pour ces minables qui se brûlent le cerveau. Toi, tu vas utiliser le tien pour faire du *cash*. Et tu vas en faire un max, Max !

16
Qu'est-ce que tu veux, Max ?

Un max de *cash*... Mac Do m'a promis un max de *cash*, et j'y réfléchis toute la soirée en regardant distraitement le feu de camp, bien à l'abri sous mon capuchon. Personne ne peut voir mes yeux, et encore moins lire dans mes pensées. Je suis seul au monde, et ce que je pense ne regarde que moi.

Il me suffit d'accepter la proposition de Mac Do pour avoir bientôt un max de *cash*. Un max de *cash* pour aller où je veux, quand je le veux.

Si tous ceux qui achètent des billets de loterie passent des heures à dépenser dans leur tête les millions qu'ils ne gagneront jamais, pourquoi est-ce que je ne me laisserais pas aller à rêver un peu, moi aussi ? Cet argent-là existe bel et bien, après tout. Il est là, à ma portée, tout juste de l'autre côté de la frontière.

Si j'avais un max de *cash*, je commencerais par prendre l'avion pour aller dans un pays chaud comme on en voit sur les affiches des agences de voyages. Il y aurait des plages à n'en plus finir le long de la mer turquoise, et je passerais des semaines étendu sur une chaise longue, sous les palmiers, à me faire servir des jus exotiques par des filles en bikini. J'apprendrais à nager et je ferais de la plongée sous-marine pour aller dire bonjour aux poissons. Je mangerais au restaurant trois fois par jour et je me ferais servir des homards et des steaks gros comme ça. Tout le monde serait aux petits oignons avec moi parce que je laisserais des pourboires faramineux. Je finirais peut-être par m'ennuyer, mais mon rêve, lui, ne ferait que commencer. Je reviendrais par ici et j'achèterais une de ces maisons que j'ai vues pendant qu'on me conduisait ici. Une maison près d'un lac, avec un quai et un bateau juste pour moi. J'aurais aussi une auto, c'est sûr. Pas une Corvette, non. Plutôt un pick-up. J'ai toujours rêvé d'avoir un pick-up. J'irais le chercher dans le garage, et mon chien me suivrait. Je dirais à mon chien « Saute ! », et il serait le plus heureux des chiens de la terre parce qu'il pourrait venir avec moi visiter mon domaine. Ce serait une sorte de ranch, mais pas comme dans les films de cow-boys, avec seulement de la poussière et des herbes sèches, non, ce serait plutôt une forêt traversée par des ruisseaux et parsemée de lacs et d'étangs. J'irais marcher dans mes sentiers aussi souvent que je le voudrais, et je n'aurais jamais rien d'autre dans mon sac à dos que de l'eau et des sandwichs.

Peut-être aussi que j'aurais une guitare. Je ne sais pas jouer, mais j'apprendrais. J'aurais le temps, et je pourrais me payer un professeur juste pour moi. Peut-être même que je composerais des chansons et que je posséderais un studio d'enregistrement, pourquoi pas ? J'aurais des amis qui viendraient jouer avec moi, on se raconterait des blagues débiles autour d'un feu de camp et on rirait comme des fous.

J'aurais quelqu'un qui partagerait ma vie, aussi, quelqu'un qui m'aimerait autant que je l'aimerais, qui serait mon amie autant que mon amoureuse, et peut-être même que nous aurions des enfants, un jour, des enfants qui ne manqueraient jamais de rien, qui auraient de grands lits avec des draps qui sentent bon, et qui mangeraient des croissants chaque matin…

Attention, Max, ne va pas trop vite! Le max de *cash*, tu ne l'as pas encore dans ta poche. Tout ce que tu as, pour l'instant, c'est une promesse. Une promesse formulée par une crapule, ça vaut encore moins cher qu'une promesse d'ivrogne. Tu ne vas quand même pas croire ce que raconte Mac Do, Max? Il va te manipuler, puis il va se débarrasser de toi, un point c'est tout.

Peut-être. Mais le *cash* dont il parle, celui qui se trouvera bientôt dans les sacs à dos, il existe pour vrai, non? S'il existe pour vrai, j'ai donc le droit d'y croire. Cet argent-là existe, et ce ne sont certainement pas les mules qui pourront le dépenser. Ce ne sont pas non plus les gens du village qui vendront leurs maisons pour une bouchée de pain qui pourront en profiter. Ils n'obtiendront que des miettes, c'est tout. Cet argent existe bel et bien, et il aboutira un jour ou l'autre dans les poches de quelqu'un. Pourquoi est-ce que ce ne serait pas dans les miennes?

Parce que je ne veux pas du sale argent de Mac Do, parce que cet homme me révulse, parce qu'il est une crapule, parce que je déteste qu'il me parle comme si j'étais son fils.

Rien ne t'oblige à passer ta vie avec lui, Max. Tu peux très bien jouer son jeu pendant quelque temps, puis disparaître dans la nature, ni vu ni connu. Personne ne t'a jamais aidé, Max. Si la chance est déjà passée près de chez toi, tu ne lui as jamais vu le bout du nez. Pourquoi lui tournerais-tu le dos maintenant qu'elle se présente à toi ? Tu ne penses pas que tu l'as méritée ? Il y a des gens qui sont des moutons, et d'autres qui les tondent, qui vendent la laine et qui encaissent le *cash*. C'est comme ça que le monde tourne, Max, et ce n'est pas ta faute à toi. Crois-tu que tu as le choix, de toute façon ? Crois-tu que tu peux aller trouver Mac Do pour lui dire non merci, votre proposition ne m'intéresse pas, je ne mange pas de ce pain-là, au revoir et à la prochaine ? Crois-tu vraiment qu'il va te laisser partir, maintenant qu'il t'a tout raconté ? Et même en supposant que ça arrive… Quelle est la suite du programme, au juste ? Tu rentres à la maison retrouver ta maman chérie qui t'attend à bras ouverts (et qui a peut-être oublié ton nom) ? Tu essaies plutôt de te trouver un appartement ? Excellente idée, Max ! Tous les propriétaires vont se précipiter pour offrir leur logement à un jeune de seize ans qui n'a pas d'emploi et qui n'a même pas de compte en banque pour la bonne raison qu'il n'aurait rien à y déposer... Tu pourrais trouver du travail, c'est vrai. Tourner des boulettes de viande, remplir des sous-marins, empiler des conserves sur les tablettes d'un magasin, démonter des pneus dans un garage, cueillir des fraises, faire des pipes à des petits vieux dans un parc... Sais-tu combien de temps il te faudra travailler avant d'amasser autant d'argent que ce qui se trouve dans un seul sac à dos, Max? Des dizaines d'années, et peut-être même que tu n'y arriveras jamais parce que tu seras obligé de tout dépenser à mesure juste pour survivre. Ce que te demande Mac Do est répugnant? C'est vrai. Mais bouche-toi le nez pendant quelque temps, et ensuite ce sera la belle vie. Tu as un billet de loterie dans la main, Max, et c'est *toi* qui décides si tu gagnes ou non... L'heure est peut-être venue de faire toi-même ta chance.

J'enlève le capuchon de ma cagoule et je m'apprête à regagner ma chambre quand un des gars est soudainement agité de tremblements, comme s'il faisait une crise d'épilepsie. Deux gardiens se précipitent aussitôt vers lui et l'entraînent sans ménagement vers l'école, à l'abri des regards. Le gars se débat, mais un des gardiens lui lance un

« Ta gueule ! » retentissant, tandis que l'autre lui tord un bras dans le dos pour le faire avancer. Peut-être qu'il s'agit d'une véritable crise d'épilepsie, mais peut-être aussi que le gars réagit mal à ce qu'il a fumé…

Aucun des autres ne lève le petit doigt pour l'aider. Ils sont tous couchés sur le sol, en train de dormir ou de tripper. Personne ici ne se préoccupe de ce qui arrive aux autres. As-tu vraiment envie d'être le complice de ceux qui détruisent ces gars-là en les bourrant de drogues, Max ? As-tu vraiment envie de vendre cette cochonnerie ?

Je remets mon capuchon sur ma tête pour être seul avec moi-même, je pense au *cash* qui m'attend et qui réglera tous mes problèmes, et je me dis tant pis, je ne suis pas responsable de tous les malheurs du monde. Tant que les gens voudront acheter de la dope, il y aura des vendeurs. Si ce n'est pas moi qui empoche, ce sera quelqu'un d'autre.

Mais aussitôt que j'enlève mon capuchon, je pense que je ne veux rien savoir de Mac Do, et tant pis si ça me condamne à remplir des sous-marins pour le reste de mes jours. Tout ce que je souhaite, c'est de me sauver loin d'ici, loin de chez ma mère, loin de ce monde pourri… Je veux m'en aller dans l'Ouest, tiens. Je travaillerai dans les champs, au grand air. Il paraît qu'il y a de l'argent à faire, là-bas, si on travaille fort.

Je me dissimule une fois de plus sous mon capuchon, et je me demande pourquoi je perdrais ma vie à travailler. Je me répète que je n'ai qu'à me boucher le nez pendant quelque temps pour que tous mes problèmes soient réglés. Tout le monde se bouche le nez, un jour ou l'autre. Les médecins et les infirmières nettoient souvent de la merde, les professeurs supportent les insultes des élèves, les policiers se ramassent avec des cadavres sur les bras... Bouche-toi le nez, Max. Bouche-toi le nez, ferme les yeux, et ramasse un max de *cash*. Rappelle-toi ce qu'a toujours dit Mac Do : *Tu es mineur, ils ne peuvent rien contre toi. Dans le pire des cas, tu te retrouveras au centre de détention...* Mac Do est peut-être une crapule, ça ne l'empêche pas d'avoir parfois raison. Il est même brillant, cet homme-là : il faut l'être pour organiser un coup comme celui-là. Tu pourrais faire un max de *cash*, sans rien risquer. À dix-huit ans pile, tu arrêtes tout ça et tu prends ta retraite. C'est un bon plan, non ?

Je m'endors très tard, l'esprit embrouillé, mais lorsque je me réveille, le lendemain, j'ai les idées si claires qu'elles me semblent lumineuses. Je ne sais pas exactement comment je m'y prendrai pour arriver à mes fins, mais je sais dans quelle direction marcher.

17
360 °

Dès que la cloche du réveil retentit, je me dirige vers la cantine, où le Nazi me donne un deux de carreau qu'il a pris en dessous du paquet. Si jamais ce gars-là voulait devenir tricheur professionnel, il aurait intérêt à perfectionner ses trucs. C'est tout juste s'il ne me fait pas un clin d'œil par-dessus le marché, pour bien montrer à tout le monde que nous sommes complices. Comme il est le seul qui semble avoir le droit de nous parler et que c'est lui qui distribue les cartes, j'ai toujours pensé que le Nazi devait être le chef des gardiens. Je ne sais pas pourquoi l'organisation lui confie une telle responsabilité. Chose certaine, il ne doit pas être très haut dans la hiérarchie.

Quand j'arrive à la table des Carreaux, je ne suis pas étonné d'être assis à côté du Mohawk, qui a pigé le trois. Je pourrais en profiter pour établir le contact, mais je décide de ne rien tenter pour le moment : j'ai besoin d'avoir une conversation sérieuse avec lui, et ce n'est pas en cinq minutes que je pourrai y arriver. Je ne lui dis rien non plus au cours du match de soccer, ni durant la baignade. J'imagine parfois que Mac Do m'espionne avec des jumelles, de la fenêtre de son bureau. Si tel est le cas, il doit trouver que je ne suis pas vite en affaires.

Le Mohawk ne me dit rien, lui non plus, et se contente d'être agité par des tics de plus en plus bizarres. Il est souvent comme ça, d'après ce que j'ai pu observer : s'il réussit parfois à se contenir pendant la matinée, ses tics s'amplifient à mesure que la journée avance. C'est habituellement au milieu de l'après-midi que sa machine à paroles s'emballe, et il a ensuite bien du mal à s'arrêter.

En cette fin de journée, nous marchons dans le sentier le plus facile, celui qui contourne la grange. Je n'avais pas encore vraiment prêté attention à ce bâtiment, mais je l'observe avec plus d'intérêt depuis que je sais qu'il abrite des cultures hydroponiques. Au premier coup d'œil, personne ne pourrait soupçonner quoi que ce soit : entourée de mauvaises herbes, la grange semble abandonnée. En regardant mieux, cependant, je remarque que les portes sont condamnées par de solides madriers. Une seule d'entre elles peut s'ouvrir, mais elle est fermée par un cadenas. Il ne semble y avoir aucun espace libre entre les planches. On a dû clouer du contreplaqué à l'intérieur de murs pour éviter les regards indiscrets. Peut-être même qu'on a construit un bâtiment à l'*intérieur* de la grange, si je puis dire. Pas de doute, ces gens-là sont brillants.

En prêtant attentivement l'oreille, j'entends un bruit de moteur assourdi provenant d'un cabanon à moitié enfoncé dans le sol et qui communique avec la grange. Ce cabanon abrite sans doute une génératrice qui fournit du courant aux plantations, évitant ainsi d'attirer l'attention des employés d'Hydro-Québec, qui se poseraient peut-être des questions si la consommation d'électricité était trop élevée. Je suppose que des fils circulent parmi les herbes folles et que je déclencherais un système d'alarme si je m'approchais de la grange. Je n'ai pas du tout envie de m'y risquer.

Ce qui m'intéresse davantage, pour le moment, c'est que la machine à paroles du

Mohawk semble enfin s'être débloquée. J'ai du mal à entendre ce qu'il raconte parce qu'il me tourne le dos, mais ça ressemble à une chanson dans laquelle il est question de gentils dauphins blonds tic à tic bloub bloub qui mangent un cocktail de crevettes tic à tic bloub bloub en attendant les requins voraces.

Décidément, il fait une fixation sur les requins…

Quand nous arrivons à mi-chemin, le gardien s'éloigne un peu de notre groupe pour soulager sa vessie. J'en profite pour m'approcher du Mohawk.

— J'ai à te parler, lui dis-je. C'est important. Rendez-vous ce soir, près du cimetière. Si tu m'as compris, fais semblant de trébucher.

Non seulement il ne trébuche pas, mais il accélère le pas et continue à chanter en charabia. Ce n'est qu'une série de tics et de bloub bloub incompréhensibles. S'il s'agit d'un langage secret, c'est vraiment réussi : son code est tellement secret qu'il est le seul à le comprendre.

Qu'est-ce que ça veut dire ? Pourquoi refuse-t-il de m'écouter ?

✦ ✦ ✦

J'essaie encore d'aborder le Mohawk après le souper, tandis que nous lavons la vaisselle. Cette fois, il ne peut pas faire semblant de ne pas m'entendre, puisque je m'adresse à lui en le regardant droit dans les yeux.

— Je veux te voir ce soir, près du cimetière, à la même place que l'autre fois. C'est important.

— Ça va, j'ai compris. Je ne suis pas sourd.

— Tu n'es peut-être pas sourd, mais tu ne réponds pas vite !

— … Je serai au rendez-vous, finit-il par dire. Mais c'est mieux d'en valoir la peine.

Nous continuons à laver la vaisselle en silence, et je remarque qu'il n'a plus aucun tic. Son visage est calme et soucieux, et il me semble soudain plus vieux de dix ans.

+ + +

Il y a une seule fourgonnette pour la sortie. Ce matin, en consultant le tableau, je n'ai pas été surpris de voir que c'était encore à mon équipe d'y aller. Le Nazi s'est arrangé avec le hasard, une fois de plus.

Je ne suis pas très étonné non plus que ce soit lui qui nous serve de chauffeur.

Aujourd'hui, il nous fait jouer de la musique. Mieux encore, il nous met *notre* musique plutôt que la sienne : le CD qu'il a glissé dans le lecteur est celui d'un groupe que je ne connais pas, mais que tous les autres gars autour de moi semblent apprécier. Certains d'entre eux sont incapables de s'empêcher de bouger sur leurs sièges, et je vois même des sourires s'accrocher à leurs lèvres. Le Nazi cherche-t-il à nous amadouer ? Si oui, dans quel but ?

Nous nous arrêtons une fois de plus dans le stationnement du garage abandonné, où le Nazi s'adresse à nous :

— Vous savez ce que vous avez à faire, les gars. Maintenant, allez vous promener. Quant à moi, je ne bouge pas d'ici. Si vous me cherchez, vous saurez où me trouver.

Il voudrait me dire que j'ai carte blanche pour parler aussi longtemps que je le veux avec le Mohawk qu'il ne s'y prendrait pas autrement.

Quelques gars partent vers la droite, d'autres vers la gauche. Je me dirige quant à moi vers le cimetière, et je m'assois sur le banc qu'occupait le Mohawk avant-hier soir. Lui-même ne tarde pas à apparaître, mais, plutôt que de s'arrêter devant moi, il passe tout droit.

— Suis-moi, me lance-t-il. J'ai repéré un meilleur endroit.

Nous faisons quelques pas dans le cimetière, et le Mohawk s'arrête devant deux bancs qui se font face. Il s'assoit sur l'un d'eux et me fait signe de m'installer devant lui.

— De cette façon, me dit-il, nous avons à nous deux une vision de trois cent soixante degrés. Si quelqu'un arrive, on le verra de loin. Et maintenant, parle. Qu'est-ce que tu me veux ?

Sa façon de prendre le taureau par les cornes est plutôt déstabilisante, mais je décide de me lancer.

— Pourquoi as-tu cherché à m'avertir des dangers que je courais ? Qu'est-ce que tu viens faire ici ?

— La même chose que toi, bonhomme.

Il ne veut pas se mouiller, et je le comprends. Mon petit doigt me dit que je n'ai pas intérêt à lui faire perdre son temps.

— Tu n'es pas comme les autres. Qui es-tu ?

— Écoute-moi bien : on ne va pas tourner en rond comme ça toute la soirée. C'est toi qui m'as invité à venir ici, c'est à toi d'ouvrir ton jeu. Prouve-moi que je peux

207

avoir confiance en toi, et on verra ensuite ce qu'on peut faire.

Sa réplique me coupe les jambes : rien de ce que je pourrais dire ne lui prouvera jamais qu'il peut me faire confiance. La vérité, c'est que je suis ici pour le piéger, et il va sûrement le sentir... À moins que...

— Est-ce que je peux te raconter une histoire ?

— Je t'écoute, me répond-il d'un air à la fois soupçonneux et perplexe.

— Ce ne sera pas très long... C'est l'histoire de Sherpa. C'était le nom de mon chien. Je l'ai appelé comme ça parce que, la première fois que je l'ai vu, il était dans une boîte à chaussures avec *Sherpa* écrit dessus...

Quand je finis de lui raconter mon histoire, dix minutes plus tard, je sens que j'ai réussi à l'émouvoir.

— D'accord, me dit-il après s'être éclairci la voix. À mon tour de te raconter une histoire. J'avais un petit frère. Il s'appelait Thomas, mais tout le monde l'appelait Tom, et même Ti-Tom, parce qu'il était encore plus petit que moi, et en plus ça sonnait comme Petit Homme. Thomas souffrait du syndrome de la Tourette. Il n'était pas capable de s'empêcher de dire les pires insultes aux gens qu'il rencontrait. Ils avaient beau être trois fois plus gros que lui, rien ne l'arrêtait, bien au contraire : plus ils étaient gros, plus il les insultait... Ça lui a valu bien des raclées, évidemement. Quand il rentrait à la maison, c'était rare qu'il n'ait pas un œil au beurre noir et des bleus partout. Je le défendais comme je le pouvais, mais je n'étais pas toujours là. Est-ce que c'est à cause de ça qu'il s'est mis à fumer tout ce qui pouvait se fumer ? Je ne sais pas. Il fumait tout le temps, du matin au soir et du soir au matin, et il s'est mis à vendre de la dope pour pouvoir s'en payer. Ça a duré un an. Il s'est fait beaucoup d'argent, mais il a fini par se faire arrêter. On l'a mis dans un centre de détention pour les jeunes, pour son plus grand malheur. Il s'est mis à insulter tout le monde, comme d'habitude, et il a mangé volée par-dessus volée. La dernière a été de trop. On lui a fendu le crâne d'un coup de bâton de baseball. C'est à ce moment-là que je me suis dit que, s'il était trop tard pour lui, il n'était peut-être pas trop tard pour en aider d'autres.

— Ton syndrome de la Tourette, c'est une imitation de ton frère ?

— Les tics viennent de lui, oui. C'est très facile pour moi de l'imiter. Mais j'ai laissé tomber les insultes. Je tiens à ma peau.

— Qu'est-ce que tu fais ici, au juste ?
Pourquoi te donner tant de mal pour jouer
un rôle ?

Il ne répond pas tout de suite. Il se mor-
dille les lèvres pendant quelques instants,
puis il finit par me poser une question à laquelle je ne m'attendais pas.

— C'est quoi, ton nom ?

— Max. Maxime Landry.

— Je le savais.

— … Pourquoi me le demander, dans ce
cas ?

— Je voulais m'assurer que tu me dises
la vérité. Les menteurs hésitent toujours une
fraction de seconde quand on leur demande
leur nom par surprise. C'est pour ça que les
policiers demandent si souvent aux suspects
de s'identifier, pendant les interrogatoires.
Quand on observe bien les menteurs, on
peut découvrir *comment* ils mentent. Je te
connais plus que tu ne le crois, Max. J'ai mes
informations… Maintenant, écoute-moi
bien. Je sais exactement ce que tu es venu
faire ici : tu essaies de me piéger, c'est ça ? Tu
n'as pas besoin de me répondre, je sais que
c'est vrai. On t'a sûrement promis une belle
somme d'argent si tu réussis, et peut-être
même une vie de rêve dans l'organisation.
Le *cash*, les femmes, le pouvoir, le *respect*,

comme ils disent... Je ne peux pas te promettre d'argent, Max, mais j'ai quand même
quelque chose à te proposer. Écoute-moi
bien. Ensuite, ce sera à toi de décider.

18
De l'autre côté de la frontière

Ce matin, il n'y a rien d'inscrit au tableau. Nous sommes là à ne pas trop savoir quoi faire jusqu'à ce que le Nazi nous réunisse en demi-cercle autour de lui. Il n'a pas mis son chandail des Bruins de Boston, cette fois-ci, mais un tee-shirt à l'enseigne d'une marque de bière. Les autres gardiens sont derrière nous, arborant ostensiblement leur arme à la ceinture. Ce ne sont pas des *Tasers*, cette fois-ci, mais de vrais revolvers.

— Il n'y aura pas d'activités aujourd'hui, dit le Nazi. Ou plutôt, il y en aura une seule. Vous transporterez des sacs toute la journée, mais on ne vous fera pas grimper de montagne. Le sentier que vous emprunterez est facile, et assez court. Vous n'en aurez que pour

213

une heure, aller et retour, mais vous devrez recommencer tant qu'il y aura des sacs à transporter. Si tout va bien, vous aurez fini vers seize heures. Ce sera dur, je vous avertis, mais, ce soir, vous aurez droit au party de votre vie. Tout ce qui peut se payer, vous l'aurez. On se comprend bien ? J'ai bien dit *tout ce qui peut se payer*… L'ordre de marche est le même que d'habitude : Piques, Trèfles, Carreaux, Cœurs. Vous suivrez Yan. C'est celui qui a un chandail bleu, là-bas. Lève la main, Yan, qu'on te voie…

Le Yan en question lève la main et nous exhibe par le fait même ses puissants biceps.

— Tout le monde l'a bien vu ? Parfait. Yan va vous escorter jusqu'à la grange, où vous prendrez vos sacs. Ensuite, vous n'aurez qu'à le suivre. Si vous entendez un long coup de sifflet, comme ça (il sort un sifflet de la poche de sa chemise et produit un son strident), vous revenez vite au camp sans poser de questions. Sinon, vous vous contentez de marcher. Bonne journée à tous !

Nous suivons Yan jusqu'à la grange, où des hommes que je n'ai encore jamais vus nous distribuent nos sacs. Ceux-ci sont aussi lourds que d'habitude, et encore mieux attachés. Il y a tellement de cordes et de courroies de cuir là-dessus qu'il faudrait un canif bien aiguisé pour les ouvrir.

En installant mon fardeau sur mon dos, je songe qu'il y a là-dedans de quoi acheter une Cadillac, puis se payer un voyage dans le Sud avec la monnaie… Combien ça vaut, une Cadillac ? Disons cinquante mille dollars, pour faire un chiffre rond. Cinquante mille multiplié par cinquante-deux sacs, ça donne… *Deux millions six cent mille dollars ???* Plus de deux millions pour un seul voyage, et nous ferons des allers-retours toute la journée ? Mac Do aura de quoi nous payer un méchant party avec ça, c'est sûr. Et il lui restera de la monnaie…

Plutôt que d'emprunter un des sentiers habituels, nous marchons quelques centaines de mètres sur la route de terre, en direction du village, avant de bifurquer dans la forêt. Comme je n'ai rien d'autre à faire que de suivre le gars qui me précède, je n'ai pas à me poser de questions sur notre trajet. Si le chemin que nous empruntons a déjà été un véritable sentier balisé, il n'a pas été utilisé depuis longtemps : nous devons contourner des arbres tombés, marcher dans des flaques de boue et traverser des ruisseaux. Il n'y a pas de montagne à escalader, mais le parcours est quand même fatigant. Si c'était moi qui ouvrais la marche, je me serais sûrement perdu. Peut-être que Yan utilise un GPS pour se guider, ou quelque chose comme ça.

Au bout d'une demi-heure, la procession ralentit, puis reprend sa route. À ma grande surprise, j'arrive bientôt devant Yan, qui s'est arrêté au pied d'un grand pin. Pourquoi a-t-il abandonné son poste à la tête de la file ? Comme il me fait signe de continuer à marcher, j'obéis à son ordre et j'avance dans la forêt. J'aperçois peu après un autre gardien, que je ne connais pas et qui me fait encore une fois signe de passer devant lui et de poursuivre ma route. Nous avons sans doute traversé la frontière : Yan est resté du côté canadien et a dirigé notre groupe vers l'autre gardien qui, lui, n'a jamais quitté les États-Unis. Ces gens-là sont vraiment bien organisés et ils excellent à faire prendre les risques par d'autres qu'eux-mêmes.

Après une centaine de mètres en territoire américain, nous croisons une petite route de terre, sur laquelle nous marchons jusqu'à ce que nous apercevions une camionnette stationnée sous le couvert des arbres.

Deux hommes armés en sortent et nous font comprendre par signes de placer nos sacs à l'arrière de la camionnette. Quand nous avons fini de les y empiler, il ne reste plus de place pour un seul sac. Je m'attendais à voir un camion assez grand pour pouvoir accueillir toutes les livraisons de la journée, mais il serait sans doute trop risqué de mettre tous les œufs dans le même panier – et il y a quand même pour plus de deux millions de dollars de marchandise dans cette camionnette ! Si j'étais le conducteur, je veillerais à respecter scrupuleusement les limites de vitesse : imaginons qu'un policier un peu zélé l'arrête et se mette en tête de vérifier le contenu des sacs... Mieux vaut répartir la cargaison dans plusieurs camionnettes, c'est plus prudent.

Mais où est l'argent, au fait ? N'étions-nous pas censés échanger nos sacs contre d'autres sacs pleins de billets ? Se pourrait-il que les Américains nous aient floués ? S'ils partaient en nous plantant là, nous ne pourrions rien faire, et ils auraient gagné deux millions sans avoir eu à débourser quoi que ce soit. Mais non, ce serait bête : pourquoi se priveraient-ils des prochaines cargaisons, qui leur rapporteront dix fois plus d'argent ? Et puis ces deux gars-là ne travaillent pas seuls, il y a sûrement une organisation derrière eux, et cette organisation a les moyens de les rattraper.

Après s'être assurés que la porte arrière de la camionnette est bien refermée, ils nous entraînent vers une bâche dissimulée sous les arbres. Ils la soulèvent, découvrant une cinquantaine de sacs à dos presque identiques à ceux que nous avons transportés jusqu'ici. Ils semblent tout aussi bien attachés, et tout aussi lourds. J'aimerais bien ouvrir le mien, histoire de voir à quoi ça ressemble, autant d'argent…

Une idée me traverse l'esprit : si nous partions tous à courir dans des directions différentes, ils ne pourraient jamais nous rattraper, c'est impossible. Mais pour cela, il aurait fallu entrer en communication avec les autres avant aujourd'hui. Je comprends mieux, maintenant, pourquoi les gardiens font respecter si scrupuleusement la consigne du silence. Si je suis le seul à me sauver avec mon sac à dos, je suis cuit. Les deux hommes armés n'hésiteront pas à m'abattre, j'en suis certain. Tout ce qui me reste à faire, c'est de prendre ma place dans la file.

Ce qui se passe ensuite se déroule très vite. J'entends d'abord des crissements de pneus, des portières qui claquent, des gens qui crient des ordres en anglais, des coups de feu, puis quelqu'un me projette violemment par terre. Impossible de voir ce qui se déroule autour de moi, ni même de parler : une main puissante me plaque le visage contre le sol. Tout ce que j'obtiendrais en ouvrant la bouche, ce serait d'avaler de la terre. J'entends encore des coups de feu, puis des cris, et enfin des bruits assourdissants qui recouvrent tout.

Ensuite, c'est le noir total.

19
Deux jokers

Je me réveille dans une ambulance, étendu sur une civière. La tête me fait mal, j'ai encore un peu de terre dans la bouche, mais je n'ai rien de cassé, du moins il me semble.

— Ça va ? me demande le Mohawk, assis tout près de moi. Tu n'es pas blessé ?

— Je risque d'avoir mal à la mâchoire pendant quelques semaines, mais ça devrait aller. Le gars qui m'a plaqué a sûrement déjà joué au football…

— Le mot d'ordre était de protéger les jeunes, quoi qu'il arrive. Aussitôt que des coups de feu ont éclaté, les policiers américains vous ont jetés par terre pour vous protéger.

Je savais qu'il y aurait une intervention policière massive au moment où nous prendrions possession de l'argent, mais j'ai quand même été surpris. Je ne croyais pas que les manœuvres se produiraient aussi vite ni qu'elles feraient autant de bruit. Et je n'avais pas du tout prévu qu'on me projetterait contre le sol et qu'on me ferait manger de la terre… Je me masse encore la mâchoire, puis j'essaie de m'asseoir sur le bord de la civière. J'y arrive sans trop de peine. La tête me tourne encore un peu, mais je me sens d'aplomb pour continuer à parler avec le Mohawk.

— Qu'est-ce qui est arrivé ? Pourquoi est-ce que ça n'a pas marché comme prévu ?

— Les deux hommes de la camionnette n'ont opposé aucune résistance : cernés comme ils l'étaient, ils ont vite compris qu'ils n'avaient aucune chance de s'en sortir. Mais ce que les policiers américains ne savaient pas, et nous non plus, c'est que tout près de là, cachés dans la forêt, deux hommes armés jusqu'aux dents surveillaient la transaction. Ils savaient sans doute eux aussi qu'ils n'avaient aucune chance de s'en sortir, mais ils ont quand même ouvert le feu.

— Pourquoi ont-ils fait ça ?

— Un des policiers américains s'est enfoncé un peu dans le bois parce qu'il avait entendu un bruit suspect et il est tombé face à face avec l'un d'eux. C'est aussi bête que ça. On a beau essayer de tout contrôler, ça ne marche jamais exactement comme on le voudrait.

— Est-ce que le policier est mort ?

— Son gilet pare-balles a encaissé le plus gros de la salve, mais il a quand même été sérieusement atteint. Heureusement, on a pu l'emmener rapidement à l'hôpital et il devrait s'en sortir. Les deux tireurs ont eu moins de chance.

— Et les hommes de la camionnette ?

— Ils sont déjà sur le chemin de la prison, où ils passeront sans doute le reste de leurs jours : comme ils ont été pris sur le fait, ils n'ont aucune chance de s'en tirer. Personne n'a été blessé parmi les jeunes, heureusement. Du côté canadien, il n'y a pas eu la moindre bavure. La GRC a procédé à une douzaine d'arrestations, et les bâtiments ont été mis sous scellés. Les policiers ont réussi à arrêter le *big boss*, Donald *The Brain* Bouchard. Je dois avouer qu'il méritait son surnom : c'est toute une combine qu'il avait organisée. Nous avons attrapé un des cerveaux de l'organisation, pour une fois.

— C'est peut-être un cerveau, mais je préfère quand même l'appeler Mac Do.

— On a retrouvé ton Mac Do en haut de la montagne, tout près de la structure de bois qui servait de piste d'atterrissage. On suppose qu'il a cherché à s'enfuir par hélicoptère, mais que l'aide espérée n'est jamais arrivée… Tu veux bien m'excuser une minute ? J'ai quelques coups de fil importants à donner. Viens me rejoindre dehors quand tu te sentiras plus d'aplomb.

Assis sur la civière, je digère tranquillement les informations que le Mohawk vient de me livrer. Ce qui me frappe surtout, dans cette histoire, c'est qu'un policier a été gravement blessé et que deux hommes sont morts, là, tout près de moi, criblés de balles. C'est le genre de scène qu'on voit souvent dans les films, mais on se dit que ça n'arrive jamais dans la vraie vie. Et pourtant… Il s'en est fallu de peu que tout ça se transforme en bain de sang : si les deux hommes du camion avaient utilisé leurs armes plutôt que de se rendre, si les policiers avaient été plus nerveux, si… Mais à quoi bon aligner des si ? Deux hommes sont morts et, pour eux, il n'y aura plus jamais de si ni de peut-être.

En sortant de l'ambulance, je me retrouve au milieu d'une bande de punks, de gothiques, de skins et de vampires qui se tiennent proches les uns des autres, l'air apeuré, comme un troupeau de moutons qui aurait été attaqué par des loups. Le plus étrange, c'est qu'aucun d'eux n'ose parler. Ils s'imaginent sans doute que la loi du silence tient toujours. Hagards, les yeux exorbités, ils se demandent encore ce qui leur est arrivé. Il leur faudra sans doute bien du temps pour comprendre qu'ils ont été manipulés par une organisation criminelle, à qui ils servaient à la fois de mules et d'épouvantails. Peut-être que certains d'entre eux ne comprendront même jamais.

Un peu plus loin, des policiers sont occupés à transférer les sacs à dos dans des camions blindés, d'autres fouillent l'intérieur de la camionnette – sans doute cherchent-ils des armes, ou des preuves supplémentaires –, d'autres enfin regagnent leur voiture pour quitter les lieux.

Le Mohawk, un peu à l'écart, parle dans un cellulaire tout en faisant les cent pas. Je ne comprends pas ce qu'il dit, mais il semble donner des ordres à des policiers. Dire qu'hier encore je me demandais si ce gars-là n'était pas à moitié débile…

— J'ai une proposition à te faire, me dit-il en rangeant son cellulaire dans sa poche. Qu'est-ce que tu dirais de rentrer à pied, maintenant que tu es solide sur tes pattes ? J'aimerais voir comment ça s'est passé du côté canadien. On arriverait à peine plus vite là-bas en passant par la route, et on a bien mérité de marcher sans sac à dos, pour une fois… On pourra en profiter pour parler un peu.

— Ça me va.

Il échange encore quelques mots avec les policiers américains, puis nous nous engageons une fois de plus sur un sentier.

— On ne te remerciera jamais assez, Max. Sans toi, on n'aurait pas pu procéder aussi rapidement, ni aussi efficacement. Et si tu n'avais pas réussi à convaincre Mac Do que je n'étais pas une taupe, j'aurais peut-être été éliminé avant l'expédition finale. Comment t'y es-tu pris ?

— Je lui ai dit que tu étais un paranoïaque un peu mythomane sur les bords, et que j'avais rencontré plein de gars dans ton genre au centre de détention. Certains se prennent pour des vampires, d'autres pour des sorciers vaudou… Toi, tu te prenais parfois pour un policier, c'est tout…

— Tu lui as menti en lui disant la vérité, en quelque sorte. Excellente idée.

— Je n'ai pas beaucoup de mérite : Mac Do gobait tout ce que je lui disais. Il croyait que j'étais son fils, et que je suivrais ses traces.

— Qu'est-ce que tu en penses, toi ?

— De quoi ?

— Du fait qu'il est peut-être ton père ? Si ça te chicote, on peut s'organiser pour faire un test d'ADN, tu sais. Tu en aurais le cœur net.

— Qu'est-ce que ça changerait ? Je n'ai pas l'intention d'aller lui offrir un cadeau en prison le jour de la fête des Pères.

— Comme tu veux. Si jamais tu changes d'idée, tu n'as qu'à me contacter…

Nous marchons en silence pendant un bon moment, et les idées se bousculent dans ma tête. Je pense d'abord à Donald Bouchard, qui se faisait appeler *The Brain*… Le Mohawk avait raison de dire qu'il méritait son surnom. Une cinquantaine de jeunes qui traversent la frontière avec des sacs à dos, semaine après semaine, les douaniers ne peuvent pas faire grand-chose contre ça. La seule façon d'empêcher ce genre de trafic, ce serait de construire une clôture longue de six mille kilomètres, et encore : des gens comme Mac Do trouveraient le moyen de creuser des tunnels sous cette clôture… Si nous n'avions pas trafiqué les cartes, ils auraient pu continuer pendant tout le reste de l'été, et ils auraient amassé des millions…

Mais il y avait deux jokers dans leur jeu. Le premier était le Mohawk, qui a risqué sa vie dans cette aventure. Le deuxième, c'était moi.

Quand nous avons élaboré notre plan, dans le cimetière, le Mohawk m'a expliqué que les policiers étaient sur la trace de Bouchard depuis très longtemps. Ils savaient aussi que je n'étais qu'une victime dans cette affaire, que c'était Mac Do qui me forçait à vendre sa cochonnerie, et que c'était lui qui empochait les profits sans jamais prendre de risques. Ils avaient lu les rapports des psychologues et des intervenants qui m'avaient interrogé au centre de détention, et ils savaient que je n'avais jamais consommé de drogue. C'est quand même étrange de penser que c'est mon abstinence qui m'a valu d'être recruté, bien malgré moi, par la pègre et par la police !

Le Mohawk n'a eu aucun mal à me convaincre de collaborer avec lui. Je n'ai pas eu non plus le moindre scrupule à dénoncer

Mac Do. S'il le faut, j'irai répéter tout ce qu'il m'a dit devant le tribunal.

En attendant, j'irai vivre dans un chalet qui appartient à un policier de la Sûreté, tout près d'ici. Cet homme m'accueillera dans sa famille pendant quelques semaines. Si Mac Do plaide coupable aux accusations qui pèsent contre lui, ce qui serait étonnant, je pourrai ensuite disparaître dans la nature, ni vu ni connu. Mais s'il y a un procès, je serai obligé de témoigner.

Les policiers me protégeront pendant toute la durée du procès, puis ils me donneront une nouvelle identité. Je pourrai donc me baptiser moi-même, comme si je n'avais jamais eu ni père ni mère. Je ne me suis pas encore choisi de nom de famille, mais je crois que mon prénom sera Steve. C'est plutôt banal, mais ça tombe bien : je ne tiens pas à me faire remarquer.

Le Mohawk m'a bien fait comprendre que je ne pourrai plus jamais contacter ma mère, de quelque façon que ce soit. C'est une question de prudence élémentaire : la première chose que feront les complices de Mac Do, ce sera évidemment de se pointer chez elle. Ils surveilleront sa maison, ils la questionneront pour savoir où je suis. La seule façon de l'empêcher de parler, c'est de ne rien lui dire. Jamais.

— Est-ce que je peux te poser une question ?

— Je t'écoute, Max.

— C'est à propos de ma mère… Supposons que je deviens riche, un de ces jours, et que je veux lui envoyer de l'argent…

— Penses-tu vraiment que le meilleur moyen de l'aider est de lui donner de l'argent ?

— … Non.

— Ce serait plutôt le contraire : elle en profiterait pour s'enfoncer davantage. Je sais que c'est difficile à accepter, mais il faudra faire une croix sur ton passé. As-tu pensé à ce que tu feras quand tu auras ta nouvelle identité ?

— Je veux aller à Vancouver. Il paraît que les hivers sont doux, là-bas. Si je ne trouve pas de travail, j'irai cueillir des fruits dans la vallée de l'Okanagan. Il y a des gars, au centre de détention, qui m'ont dit qu'on pouvait gagner pas mal d'argent, là-bas. J'ai envie de travailler au grand air pendant un bout de temps. Peut-être que je pourrais suivre des cours pour devenir garde forestier, ou quelque chose dans ce genre-là. J'aime être dehors, au grand air.

— C'est une bonne idée.

— Maintenant que tout ça est terminé, est-ce que je peux savoir comment tu t'appelles ? Tu ne me l'as jamais dit, finalement…

— Tu sais, Max, mon travail consiste à m'infiltrer dans des groupes criminels. Je ne dévoile mon nom à personne. Je peux même te dire que si tu me rencontres dans la rue, dans quelques semaines, tu ne me reconnaîtras pas. Je n'aurai sûrement plus ma coiffure mohawk ni mes anneaux, et je porterai peut-être un complet-veston…

— Peux-tu au moins me dire quel âge tu as ?

— J'ai vingt-sept ans.

— J'ai du mal à le croire.

— J'ai toujours eu l'air jeune, je sais. Il faut dire aussi que personne n'a regardé plus loin que ma coupe mohawk, mes anneaux et mes tics nerveux… Toi pas plus que les autres.

Nous voilà rendus à l'école, où des dizaines de policiers s'affairent dans tous les coins.

— Bon, c'est ici que nos routes se séparent, Max. Le policier chez qui tu vas habiter sera là très bientôt. Il s'appelle Laurent Vinet et il est très sympathique, tu verras.

231

— Qu'est-ce qui va arriver aux gars qui ont été arrêtés en même temps que nous?

— Nous allons les relâcher, évidemment. Nous leur offrirons la possibilité de suivre une cure de désintoxication, mais j'ai l'impression que bien peu d'entre eux sauront profiter de l'occasion, malheureusement. Ensuite, ils retourneront dans leur famille, pour ceux qui en ont une. Pour les autres, ce sera la rue. On ne retiendra pas de charges non plus contre les thérapeutes : ils se sont fait embobiner par Donald *The Brain* Bouchard, eux aussi. Espérons qu'ils apprendront à être moins naïfs la prochaine fois... Tiens, j'aperçois Laurent Vinet, là-bas. Je vais tout de suite te le présenter : tu as intérêt à ne pas moisir longtemps ici...

— Est-ce que je peux garder ma cagoule?

— Je ne sais pas si c'est très prudent...

— Je ne sortirai jamais avec dans la rue, promis. Même pas quand je serai à Vancouver.

— Dans ce cas, j'imagine qu'il n'y a pas de risque.

— Merci. Merci pour tout.

Celui que j'ai baptisé le Mohawk me serre la main avec vigueur.

— C'est moi qui te remercie, Max.

— J'ai une dernière question. Celle-là est un peu gênante. Tu es libre de me répondre ou pas, évidemment…

— Vas-y, Max.

— Est-ce que tu crois aux requins ?

— … Bien sûr que oui, répond le Mohawk en riant. Mais ceux que je côtoie ont deux bras et deux jambes !

Du même auteur

Jeunesse

Corneilles, Boréal, 1989.

Zamboni, Boréal, 1989.

• Prix M. Christie

Deux heures et demie avant Jasmine, Boréal, 1991.

• Prix du Gouverneur général

David et le Fantôme, Dominique et compagnie, 2000.

• Prix M. Christie

• Liste d'honneur IBBY

David et les monstres de la forêt, Dominique et compagnie, 2001.

David et le précipice, Dominique et compagnie, 2001.

David et la maison de la sorcière, Dominique et compagnie, 2002.

David et l'orage, Dominique et compagnie, 2003.

David et les crabes noirs, Dominique et compagnie, 2004.

David et le salon funéraire, Dominique et compagnie, 2005.

Albums

L'été de la moustache, Les 400 coups, 2000.

Madame Misère, Les 400 coups, 2000.

Tocson, Dominique et compagnie, 2003.

Voyage en Amnésie et autres poèmes débiles, Les 400 coups, 2004.

Débile toi-même et autres poèmes tordus, Les 400 coups, 2007.

Adulte

L'Effet Summerhill, Boréal, 1988.

Bonheur fou, Boréal, 1990.

Les Black Stones vous reviendront dans quelques instants,
    coll. Littérature d'Amérique, 1991.

La Note de passage, Boréal, 1985. B.Q., 1993.

Ostende, coll. Littérature d'Amérique, 1994.
    Coll. QA compact, 2002.

Benito, Boréal, 1987. Boréal compact, 1995.

Miss Septembre, coll. Littérature d'Amérique, 1996.

Vingt et un tableaux (et quelques craies), coll. Littérature
    d'Amérique, 1998.

Fillion et frères, coll. Littérature d'Amérique, 2000.
    Coll. QA compact, 2003.

Je ne comprends pas tout, coll. Littérature d'Amérique, 2002.

Adieu, Betty Crocker, coll. Littérature d'Amérique, 2003.

Mélamine Blues, coll. Littérature d'Amérique, 2005.

Vous êtes ici, coll. Littérature d'Amérique, 2007

Fiches d'exploitation pédagogique

Vous pouvez vous les procurer sur notre site Internet
à la section jeunesse / matériel pédagogique.

www.quebec-amerique.com

Marquis imprimeur inc.

Québec, Canada
2008

L'impression de cet ouvrage a permis de
sauvegarder l'équivalent de 19 arbres de 15 à
20 cm de diamètre et de 12 m de hauteur.